신개념 스포츠지도사 문제집 2023

시험 대비

특수체육론

단원별 출제빈도 분석

단원	2015 장애인	2016 장애인	2017 장애인	2018 장애인	2019 장애인	2020 장애인	2021 장애인	2022 장애인	누계 (개)	출제율 (%)
제1장 특수체육의 의미	2	6	3	1	5	2	5	4	28	17.5
제2장 특수체육에서 사용하는 사정과 측정도구	4	1	4	2		3	3	2	19	12
제3장 특수체육의 지도전략	2	5	1	9	5	3	3	4	32	20
제4장 지적장애 · 정서장애 · 자폐성 장애의 특성 및 스포츠 지도 전략	4	2	4	4	1	4	2	4	25	15.5
제5장 시각장애 · 청각장애의 특성 및 스포츠 지도 전략	5	2	2	2	4	3	3	1	22	14
제6장 지체장애 · 뇌병변장애의 특성 및 스포츠 지도 전략	3	4	6	2	5	5	4	5	34	21
합계	20	20	20	20	20	20	20	20	160	100

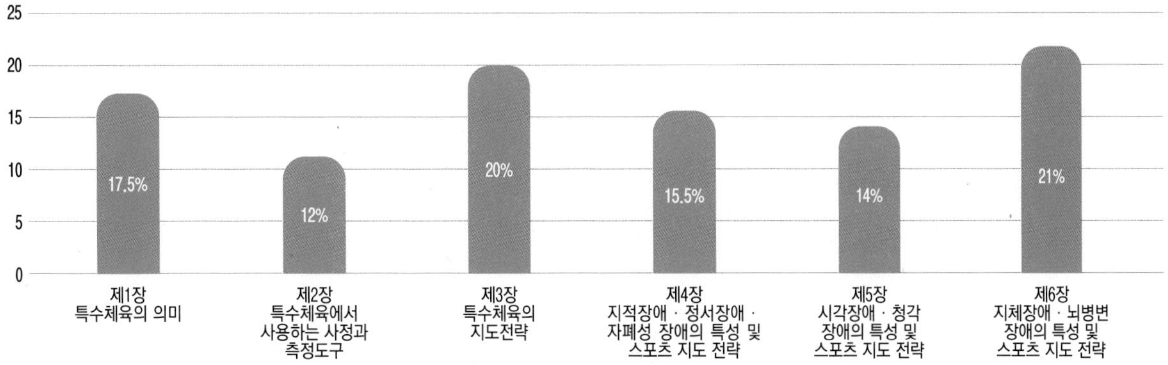

단원별 출제비율 그래프

01 Chapter 특수체육의 의미

특수체육의 역사

1 장애자에 대한 사회적 태도의 변천

- ☞ 원시 사회에서는 장애인들이 전투적인 생활에 견딜 수 없었기 때문에 대부분이 어린 나이에 죽거나 죽임을 당했다.
- ☞ 중세에는 죄가 커서 마귀에 의해서 장애자가 되었다고 생각해서 교수형에 처해지거나 따돌림을 당했다.
- ☞ 르네상스 시대와 산업혁명 시대에는 장애자들에 대한 태도가 많이 부드러워지기는 했지만 특별한 보살핌이나 관심을 받지는 못하였다.
- ☞ 세계대전을 치르면서 수많은 장애자들이 전장에서 사회로 복귀하면서부터 장애자를 도와야 된다는 방향으로 사회적 인식이 바뀌었다.
- ☞ 불구자가 된 병사들을 치료하는 기술이 크게 발달하였고, 장애자들의 재활을 돕기 위한 모금 활동도 활발하게 전개되었다. 초기에는 박애회, 개인의 자선, 사회봉사 단체들의 모금에 의존하였으나 나중에는 정부가 책임을 지게 되었다.
- ☞ 1960년대에는 미국의 교육부에 '장애자교육국'이 설치되었다.
- ☞ 1975년에는 "장애아교육법"이 미국 의회를 통과해서 장애아동들을 위한 '개별화된 교육 프로그램'을 설정할 수 있게 되었다. 장애아동들을 특수학급에서 별도의 교육을 해 오던 개념에서 벗어나 메인스트리밍으로 장애아동의 교육개념이 바뀌었다.
- ☞ 장애자들의 고용에 관한 사회의 태도 변화는 장애인들의 경제적 지위향상에 크게 기여하였다.

2 특수체육의 역사

- ☞ 특수체육은 스웨덴의 링이 스웨덴체조를 창안하면서부터라고 보는 사람이 많다.
- ☞ 1952년에 미국의 보건 · 체육 · 레크리에이션 · 무용협회가 특수체육위원회를 발족시키고, 장애인체육을 '적응체육'으로 바꾸어 부르기 시작하였다.
- ☞ 1967년에는 미국에서 "정신지체아를 위한 시설 설치법"이 의회를 통과하였다.
- ☞ 1975년 장애아교육법(PL 94-142)이 공포되었다.
- ☞ 1990년에 "The Individuals with Disabilities Education Act(장애인교육헌장) : PL 101-476"이 제정되었다.

3 우리나라 특수체육의 역사

- ☞ 1946년부터 특수학교에서 체육교과를 가르치기는 하였지만 그것을 특수체육이라고 부르지는 않았다.
- ☞ 1986년 서울 아세안게임 학술대회와 1988년 서울 패럴림픽대회를 개최한 이후 장애인에 대한 사회적 인식과 교육, 연구, 정책이 크게 바뀌게 되었다. 장애를 수치로 생각하여 숨어 살던 장애인들이 '장애는 단지 불편할 뿐'이라고 생각을 바꾸는 계기가 되었다.

- ☞ 1989년 한국장애자체육회가 설립되었다.
- ☞ 1990년 한국특수체육학회가 창립되어 특수체육을 본격적으로 연구할 수 있는 기반이 마련되었다.
- ☞ 2005년 국민체육진흥법이 개정되어서 대한장애인체육회를 설립할 수 있는 법적 근거가 마련되었다.

장애의 정의와 장애인스포츠대회

1 장애의 정의

▶ WHO의 1980년 정의

- ☞ 장애는 질병과 동일한 것이 아니고 질병의 결과임.
- ☞ 장애는 손상, 장애, 핸디캡의 3차원으로 분류할 수 있음.

▶ WHO의 2001년 정의

- ☞ 핸디캡은 '참여제약'으로, '손상'은 '신체기능과 구조'로, '장애'는 '활동제한'으로 용어를 변경함.
- ☞ 장애란 환경적 · 개인적 요구에 의해 누구에게든 발생할 수 있는 일반적인 현상으로 이해함.

2 장애인스포츠대회

▶ 패럴림픽

- ☞ 참가자격 : 지체장애인, 지적장애인, 뇌병변장애인
- ☞ 개최 : 동 · 하계올림픽 종료 후
- ☞ 주관단체 : 국제패럴림픽위원회(IPC)

▶ 스페셜올림픽

- ☞ 참가자격 : 만 8세 이상의 지적 · 자폐장애인
- ☞ 개최 : 4년마다 동 · 하계대회
- ☞ 주관단체 : 국제스페셜올림픽위원회(SOI)

▶ 페플림픽(농아인올림픽)

- ☞ 참가자격 : 보청기, 달팽이관 이식 등을 하지 않은 청각장애인(55dB 이상)
- ☞ 개최 : 올림픽 다음 해에 동 · 하계대회
- ☞ 주관단체 : 국제농아인스포츠위원회(ICSD)

특수체육의 개념 및 정의

1 특수체육의 정의(Joseph P. Winnick)

- ☞ 장애로 인하여 체육활동을 원활하게 할 수 없거나 일반인들이 행하는 체육활동에 참여하기 어려운 사람들을 위하여 특별히 계획된 체육 프로그램을 '특수체육'이라고 한다.
  - » 특별한 요구를 충족시키기 위해 계획된 개별화 프로그램
  - » 신체능력에 차이가 있는 학생들이 안전하게 스포츠를 경험하게 함.
  - » 신체 교정 · 훈련 · 치료 등 계획된 요소를 포함함.

» 장애인은 심동적 어려움을 가진 모두를 지칭함.

☞ 특수체육에는 다음 4가지 유형의 프로그램이 있다(Jansma & French, 1994).

» 적응체육(adaptive physical education) : 장애인에게 안전하고 성공적이며 만족스러운 참여의 기회를 제공하기 위하여 전통적인 체육활동을 변형하는 것.

» 교정체육(corrective physical education) : 주로 기능적인 자세와 신체의 물리적인 결함에 대하여 훈련 또는 재활하는 것.

» 발달체육(developmental physical education) : 장애아동의 능력을 일반 또래 수준까지 향상시키기 위한 점진적인 건강체력 및 대근 운동프로그램.

» 의료체조(medical gymnastics) : 특정한 신체활동을 통하여 장애인의 운동능력을 회복/발달시키려는 활동.

2 특수체육의 개념

특수체육은 보는 관점에 따라서 의학적 모델과 교육적 모델로 나눈다.

특수체육의 의학적 모델	의학적으로 처방된 치료운동과 프로그램이다. 장애학생이 가지고 있는 문제에 대한 검사, 진단, 치료에 초점을 맞춘다. 장애학생은 서비스의 수동적 수혜자가 된다. 일반적인 병리 현상에 따라 장애학생을 분류하기 때문에 범주적 접근이라고도 한다.
특수체육의 교육적 모델	1975년에 미국에서 "전장애아교육법(PL 94-142)"이 제정되고 나서부터 널리 활용되었다. 장애학생의 교육에 관한 의사결정은 의학적 진단에만 의존하는 하는 것 보다는 다양한 학문분야의 전문가로 구성된 팀에 의해서 파악된 장애학생의 개인적 요구에 대한 종합적 평가에 기초를 두어야 한다는 것이다. 장애학생들의 개인 차이가 존중되기 때문에 체육교사는 장애학생 개개인의 교육적 요구를 충족시켜 주기 위한 개별화 교육 프로그램을 활용하게 된다. 운동학습의 과정에서 나타나는 강점과 약점을 중심으로 장애학생을 분류하는 비범주적 접근이다.
적응된 신체활동	2001년 세계특수체육학회에서 'Special Physical Education(특수체육)' 또는 'Adapted Physical Education(적응체육)'이라고 불러오던 것을 'Adapted Physical Activity(적응된 신체활동)'로 통일하기로 결정하였다. 장애인이 비장애인과 함께 살아갈 수 있는 기회를 제공하고, 평생에 걸쳐 나타나는 심동적인 문제를 해결하기 위한 학제적 학문으로 특수체육을 보는 광의의 개념이다. 오늘날 적응된 신체활동으로서의 특수체육은 기본적인 인권으로서 개념화되어 가고 있다.

3 특수체육과 관련된 논쟁

☞ 참여 대상에 대한 논쟁……장기적인 장애조건을 가지고 있는 사람들을 대상으로 해야 하는가? 일반적인 스포츠 검사에서 30% 이하의 수행을 나타내는 사람들을 대상으로 해야 하는가?

☞ 통합프로그램과 분리프로그램에 대한 논쟁……비장애인들과 함께 통합프로그램에 참여할 수 있는 기회를 제공하는 것이 장애인들의 건강한 사회성 발달에 매우 중요하다는 의견과 장애인들이 통합프로그램에 성공적으로 참여하기 위해서 필요한 기본적인 기술을 발전시킬 수 있는 분리프로그램이 중요하다는 의견.

☞ 약물 규제와 관련된 논쟁……장애인 스포츠에서 약물 규제가 비장애인 스포츠에서 약물 규제와 똑같아야 하는가?

4 특수체육의 목적

상위 영역	하위 영역	내 용
정의적 영역	긍정적 자아	» 신체활동 참여를 통해 자아개념과 신체상을 강화한다. » 신체에 대한 이해와 존중, 그리고 움직임을 위한 신체능력을 향상시킨다. » 변화될 수 없는 한계를 수용하고, 환경에 적응하는 것을 배운다(예 : 자아실현을 위한 노력)
	사회적 능력	» 사회적 고립을 감소시킨다. » 우정을 발전시키고 유지하는 방법, 스포츠맨십과 승패에서의 자제력을 배운다. » 적절한 사회적 행동을 포함하여 비장애인들과 생활하기 위해 필요한 기술을 배운다(예 : 나눔, 차례 지키기, 순종하기, 지도하기 등과 같이 다른 사람들과 상호작용하기 위해 필요한 것들)
	즐거움과 긴장 이완	» 운동, 신체활동, 스포츠, 댄스, 수상경기 등에 대한 태도를 향상시키고 그러한 활동에 참여하는 것이 즐겁고 행복하다는 것을 안다. » 신체활동 참여를 통해 정신건강을 향상시킨다. » 건강하고 사회적으로 받아들여지는 방법으로 긴장을 이완시키는 것을 배운다. » 활동의 과민성을 감소시키고 이완하는 것을 배운다.
심동적 영역	운동기술과 패턴	» 기본적인 운동기술과 패턴을 배운다. » 게임, 스포츠, 댄스, 수상경기 등의 참여에 필요한 운동기술에 숙달한다. » 자조, 학교생활, 직장생활, 놀이, 소근육운동, 대근육운동 등에 필요한 협응력을 향상시킨다.
	체력	» 심혈관계 기능을 향상시킨다. » 최적 체중을 도모한다. » 근력, 지구력, 유연성 등을 향상시킨다. » 올바른 자세를 유지한다.
	여가활동에 필요한 기술	» 체육시간에 학습한 것을 평생 스포츠, 댄스, 수상경기 등을 즐기는 습관으로 전이시키는 것을 배운다. » 레크리에이션을 위한 지역사회의 재원과 익숙해진다. » 개인 및 단체 경기, 스포츠, 댄스, 수상경기 등의 기술 폭을 넓히고 익숙해진다.
인지적 영역	놀이와 게임행동	» 자연스럽게 노는 것을 배운다. » 독자적 · 평형적 놀이 행동에 적절한 협동적 · 경쟁적 게임 행동에 이르는 놀이의 발달단계에 따라 진보한다. » 장난감, 놀이기구, 다른 사람과 접촉 및 상호작용 등을 도모한다. » 기본적인 게임의 형식과 놀이를 위해 필요한 정신 조작능력을 학습한다. » 간단한 게임의 규칙과 전략에 능숙해진다.
	운동기능과 감각통합	» 시각, 청각, 촉각, 전정기관 감각, 운동감각의 기능 등을 향상시킨다. » 게임과 인지/운동학습을 통해 교과학습을 강화한다. » 감각통합 향상을 통해 인지기능, 언어기능, 운동기능 등을 향상시킨다.
	창조적 표현	» 움직임과 사고의 창조성을 향상시킨다. » 움직임과 관련된 문제에 노출될 때 많은 반응, 다양한 반응, 독창적인 반응 등을 생성한다. » 상상하는 것을 학습하고 꾸미고 첨가한다. » 새로운 것을 시도하고 적절한 게임 전략을 고안한다.

출처 : 전혜자 외(2015). 특수체육론. 대한미디어. p. 18에서 수정 게재.

5 특수체육의 특징

Sherrill, C.(1998)은 특수체육에는 다음과 같은 특징이 있다고 주장하였다.

- ☞ 특수체육은 법률적 기초 위에서 제공되는 서비스이다.
- ☞ 장애학생의 요구에 대한 총괄적 평가를 통해서 심동적 문제를 확인해야 한다.
- ☞ 특수체육은 학제적 학문이다.
- ☞ 특수체육은 평생교육을 강조한다.
- ☞ 특수체육은 평균 이하 혹은 정상과 차이가 있는 심동적 특성을 보이는 학습자들을 주로 가르친다.
- ☞ 특수체육의 중요한 목표 중의 하나가 평생 동안 스포츠에 참여할 수 있도록 장애학생들의 여가선용의 기술을 발달시키는 것이다.
- ☞ 연속적인 서비스를 제공해야 한다.
- ☞ 책무성이 있다. 모든 교사는 행정가와 학부모 등에게 자신들이 학생들에게 제공한 교육 서비스가 학생의 특정 행동 영역에 긍정적인 영향을 미쳤다는 사실을 증명해야 한다.
- ☞ 특수체육은 모두 수용하고 모두 성공하는(zero reject and zero fail) 교육이다.

특수체육의 방향과 가치 추구

1 특수체육의 방향

장애학생들은 지속적으로 반복되는 실패의 경험으로 인해 자신에 대한 자아개념이나 신체상에 큰 상처를 받게 된다. 따라서 특수체육에서는 일반 체육교육과정을 개인의 요구에 맞게 적응시켜 실패의 경험을 최소화하고 자아개념과 신체상을 긍정적이고 지속적으로 강화시키는 방향 즉, 적응체육의 방향으로 나아가야 한다.

2 특수체육이 추구하는 가치

적응의 원리 쉐릴(C. Sherril)	환경, 과제, 그리고 개인에 대한 형식적 · 비형식적 평가의 결과에 따라 환경이나 과제의 변인들을 수정 · 조정 · 변화시켜주는 과정을 의미한다. 적응이론은 특수체육의 핵심 이론으로서 특수체육의 목표를 성취하여 바람직한 결과를 이끌어내기 위해 활용된다.
정상화의 원리 니르제(B. Nirje)와 울펜스버거(W. Wolfensberger)	장애인을 보호시설에 수용하지 말고 일반적인 사회 환경에서 생활할 수 있도록 해야 하며, 모든 장애인이 가능한 한 정상에 가까운 교육 및 생활환경을 제공받아야 한다. 정상화의 원리에는 사회가 장애인을 수용해야 하고, 장애의 유무를 떠나 모든 인간이 인간으로서의 존엄성을 존중받아야 한다는 철학적인 신념도 내포하고 있다.
최소제한 환경의 원리 (미국의 특수아동교육 위원회)	아동은 자신의 교육적 요구가 만족스럽게 충족될 수 있는 최소로 제한된 환경에서 교육받아야 하고, 장애아동은 가능한 한 비장애아동들과 함께 교육받아야 한다.
주류화	정상화를 실현하기 위해서 장애아동을 가능한 한 또래의 비장애아동들과 같은 교육환경에 배치하여 상호작용하게 하면서 부족한 부분만 특수교육을 시키는 점진적 통합교육을 말한다.

통합교육	장애학생에게 적절한 수준의 프로그램을 제공하고, 활동에 필요한 사항을 적절히 지원하여 비장애학생들과 함께 스포츠와 신체활동에 참여할 기회를 주어야 한다는 것이다.

❸ 장애모델

장애의 원인, 장애를 보는 관점, 그리고 중재의 목표에 따라서 장애모델을 6가지로 분류할 수 있다.

도덕모델	장애는 신이 내린 벌이고, 장애인은 죄인이므로 주류사회에서 살 권리가 없다고 본다.
자비모델	장애인은 자기 스스로는 어떻게 할 수 없는 존재이므로 자비로운 마음으로 보살펴야 한다고 본다.
의학모델	장애인은 결함이 있거나 열등한 존재이므로 가능한 한 비장애인에 가깝게 치료해주려고 노력해야 된다고 본다.
사회모델	장애는 육체적 · 사회적 장벽 때문에 지역사회의 생활에 참여할 수 있는 기회를 잃었거나 제약을 받는 것으로 본다.
경제모델	장애문제는 직업교육을 통해서 장애인들이 소득을 창출할 수 있게 하면 해결된다고 본다.
인권모델	인간에게는 인간의 존엄성과 행복추구권과 같은 기본권이 있고, 기본권은 법 앞에서 모든 사람에게 동등하게 적용되어야 하므로 장애인도 비장애인과 똑같은 인권이 있다고 본다.

❹ 장애인의 권리선언

장애인들이 다양한 활동 분야에서 최대한 자신의 능력을 개발할 수 있도록 도와주고, 가능한 한 정상적인 생활 속에서 자신의 이상을 실현할 수 있도록 촉진해야 한다는 취지를 담고 있는 선언으로, 1975년 12월 9일 국제연합 총회에서 만장일치로 채택되었다.

❺ 장애인 임파워먼트

장애인의 권리선언을 계기로 주장된 권리는 다음과 같다.

자결권	장애인에게도 자신들의 삶에 영향을 미칠 수 있는 일의 의사결정에 직접 참여하여 할 수 있는 권리가 있다.
자기유능감	자기 자신에 대한 긍정적인 태도를 가지며, 자기 자신이 능력이 있다고 느낄 권리가 있다.
사회적 참여	다른 장애인을 확인하고 지지하고, 자신에 대한 낙인과 불공평을 인식하고 지원활동에 참여할 수 있는 권리가 있다.

위와 같은 3가지 권리를 주장하는 사회운동을 empowerment, 권리신장, 권리부여, 권리인정이라고도 한다.

필수 및 심화 문제

필수문제

01 특수교육의 발달을 시대적으로 구분한 것이다. 잘못 설명한 것은?

① 고대와 중세 : 왕의 명령으로 특수기관에서 보호하던 시대
② 중세 말 이후 : 기독교사상으로 자선적 보호와 치료를 하던 시대
③ 19세기 말 이후 : 민주주의를 바탕으로 한 교육의 시대
④ 1980년 이후 : 미국에서 전장애인교육법(IDEA)이 제정된 이후의 시대

■ 고대와 중세는 장애아동을 유기, 학대, 방임, 조롱하던 비인도적인 시대였다.

심화문제

02 특수교육이 발전하게 된 요인이라고 할 수 없는 것은?

① 민주적 · 인도주의적 정신
② 교육의 의무 및 권리 사상
③ 체육의 발달
④ 사회 · 경제적 생활조건의 향상

■ 특수체육은 특수교육의 일부분이므로 체육의 발달과 특수교육의 발달은 별개의 사안이다. 그밖에 과학의 발달이 특수교육을 발달시킨 한 요인이다.

필수문제

03 '국민체육진흥법과 동 시행령'에서 규정하고 있는 '장애인 스포츠지도사'에 대한 내용으로 옳지 않은 것은?

① 만 18세 이상 누구나 지원 가능하며, 장애인의 문화, 예술, 여가, 체육활동 등을 지도하는 사람을 말한다.
② 장애유형에 따른 운동방법 등에 대한 지식을 갖추고, 34개의 자격종목에 대하여 장애인을 대상으로 전문체육이나 생활체육을 지도하는 사람을 말한다.
③ 2급 장애인스포츠지도사는 자격검정에 합격하고 연수과정을 이수한 사람으로 한다.
④ 2급 연수과정은 인지, 정서 장애인, 지체장애인, 시 · 청각 장애인의 특성에 따른 스포츠지도를 포함하고 있다.

■ 장애인스포츠지도사는 장애인을 대상으로 전문체육이나 생활체육을 지도하는 사람이다.

심화문제

04 장애인스포츠지도사의 지원강도에 관한 설명으로 옳지 않은 것은?

① 간헐적(intermittent) 지원 – 일시적이고 단기간에 걸쳐 요구할 때 지원
② 제한적(limited) 지원 – 제한된 시간 동안 신체활동에서 지원
③ 확장적(extensive) 지원 – 지도자의 판단에 따른 일시적 지원
④ 전반적(pervasive) 지원 – 지속적이고 신체활동 내내 지원

■ 지도자의 판단에 따른 일시적 지원은 옳지 않다.

정답 01 : ①, 02 : ③, 03 : ①, 04 : ③

05 **'대한장애인체육회'를 명문화하고 체육지도자의 한 분야로 '장애인스포츠지도사'를 규정하고 있는 것은?**

① 장애인복지법
② 장애인 차별 금지 및 권리 구제 등에 관한 법률
③ 국민체육진흥법
④ 체육시설의 설치 이용에 관한 법률

■ 국민체육진흥법에 의해서 대한체육회와 대한장애인체육회가 동등한 기관이 되었다.

06 **보기에서 국민체육진흥법 시행령의 '장애인스포츠지도사 2급 연수과정'이 아닌 것으로 묶인 것은?**

보기		
㉠ 스포츠 윤리	㉡ 선수 관리	㉢ 지도역량
㉣ 스포츠 매니지먼트	㉤ 장애특성 이해	㉥ 코칭 실무

① ㉠, ㉤ ② ㉢, ㉣ ③ ㉡, ㉥ ④ ㉤, ㉥

■ 체육지도자의 연수과정(국민체육진흥법시행령 별표 11)
2급 장애인스포츠지도사 과정
1) 스포츠 윤리 : 선수 · 지도자 · 심판 윤리, 선수와 인권, (성)폭력 방지, 공정 경쟁, 도핑 방지, 스포츠와 법
2) 장애특성 이해 : 인지 · 정서 장애인 특성에 따른 스포츠지도, 지체장애인 특성에 따른 스포츠지도, 시 · 청각 장애인 특성에 따른 스포츠지도
3) 지도역량 : 장애특성별 운동프로그램, 운동기술과 체력의 진단 및 평가, 통합체육 이해와 적용 방안, 스포츠 심리 및 트레이닝 실무, 체육지도 방법
4) 스포츠 매니지먼트 : 스포츠 지도를 위한 한국수어, 스포츠시설 및 용품 관리, 생활체육 프로그램 운영 및 관리, 커뮤니케이션 및 상담기법, 스포츠 행정 실무
5) 현장실습
6) 그밖에 문화체육관광부장관이 필요하다고 인정하여 고시하는 사항

07 **세계 최초의 특수학교는?**

① 파리농학교 ② 라이프치히농학교
③ 파리맹학교 ④ 평양여자맹학교

08 **우리나라 최초의 특수학교는?**

① 제생원맹아부 ② 평양농학교
③ 평양여자맹학교 ④ 평양광명맹학교

필수문제

09 **비장애인이 장애인을 바라보는 시각 중 옳은 것은?**

① 평등의 시각으로 본다. ② 동정의 시각으로 본다.
③ 항상 도와줘야 하는 대상으로 본다. ④ 무조건 사랑의 손길을 보낸다.

■ 장애인을 비장애인과 평등하게 보지 않고, 동정의 대상 · 도와줘야 할 대상으로 보거나 무조건 사랑하는 것은 장애인의 인권을 무시하는 것이다.

정답 05 : ③, 06 : ③, 07 : ①, 08 : ③, 09 : ①

심화문제

10 장애와 관련된 표찰(labeling)에 대한 설명으로 옳지 않은 것은?

① 장애인의 독특한 개인차를 존중할 수 있는 기회를 제공해 준다.
② 부정적 자아개념을 형성하게 한다.
③ 개별화 체육 프로그램의 작성과 수행에 거의 도움이 되지 않는다.
④ 장애인에 대한 부정적인 고정관념을 강화시킬 수 있다.

■ "이 사람은 무엇에 장애가 있는 사람이요."라고 명찰을 써 붙이는 것을 표찰이라고 한다. "나는 무슨 장애인이요."라고 써붙이고 다니면 그 사람을 존중해줄까?

11 장애를 나타내는 용어들에 대한 설명이다. 적절하지 못한 것은?

① Disability : 신체적 또는 정신적으로 어떤 기능을 사용하는 데에 제약을 받음.
② Impairment : 심리적 · 생리적 · 해부학적으로 어떤 손상을 입었거나 손실되어서 정상적이 아님.
③ Handicap : 정상적으로 사회생활을 하는 데에 지장이나 불이익을 당함.
④ Disorder : 어떤 순서나 차례가 잘못됨.

■ Disorder는 정신과 관련이 있는 장애를 말한다.

필수문제

12 시각장애, 지적장애, 지체장애와 같이 장애조건에 따라 장애인을 분류하여 지도하는 접근방법은?

① 범주적 접근방법(categorical approach)
② 비범주적 접근방법(non-categorical approach)
③ 기능론적 접근방법(functional approach)
④ 발달론적 접근방법(developmental approach)

■ 진단을 유목(類目)화하며 분류하는 접근방식이 **범주적 접근방법**이다. 분류대상을 증상 · 행동 특성에 따라 나누고, 질적인 차이를 강조한다.

심화문제

13 '장애인차별금지 및 권리구제 등에 관한 법률 제25조(체육활동의 차별금지)'의 제한 · 배제 · 분리 · 거부에 해당하는 사례로 적절하지 않은 것은?

① 스포츠센터장은 시각장애인의 수영 강습 등록을 거부하였다.
② 학교장은 지체장애학생의 생존수영수업 참여를 제한하였다.
③ 스포츠센터장은 중증장애인을 위한 가족탈의실을 분리하여 설치하였다.
④ 스포츠센터장은 농구리그에 청각장애인팀의 참가를 배제하였다.

■ 중증장애인을 위한 가족탈의실의 분리 설치는 차별금지의 제한 · 배제 · 분리 · 거부가 아니다.

14 장애아동 교육의 원리이다. 잘못 설명한 것은?

① 완전수용 : 장애아동들은 전원 특수교육기관에서 수용해야 한다.
② 비차별적 평가 : 장애가 있다는 이유로 차별적으로 평가를 받아서는 안 된다.
③ 개별화교육 : 장애학생의 특성과 능력에 맞게 계획된 교육을 해야 한다.
④ 최소제한 환경 : 장애아동들은 최대한 일반아동과 함께 교육을 받아야 한다.

■ 장애아동 교육의 원리에서 완전수용은 "교육적 배치에서 장애아동을 배제해서는 안 된다."는 원리이다.

정답 10 : ①, 11 : ④, 12 : ①, 13 : ③, 14 : ①

15 **장애학생의 특성과 능력에 맞게 계획된 활동을 통해서 신체적 · 정신적 · 사회적 · 정서적 성장을 도모하는 것이 특수체육의 목적이다. 특수체육의 목적을 달성하기 위해서 한국장애인복지회에서 선정한 특수체육의 목표가 아닌 것은?**

① 향상 또는 소거될 수 있는 상태가 되도록 하기 위해서 필요한 교정을 한다.
② 중도 장애학생의 적응과 재사회화를 돕는다.
③ 장애학생들을 적당한 프로그램에 참가시켜서 악화되는 것을 예방한다.
④ 장애학생들에게 기관 및 신경계통의 수술을 해준다.

■ 수술을 하는 것은 체육이 아니라 의술이다.

필수문제

16 **스페셜올림픽(Special Olympics)에 대한 설명으로 옳은 것은?**

① 참가자격은 15세 이상의 지적장애인이다.
② 모든 경기는 성별의 구분 없이 혼성경기로 진행된다.
③ '10% 법칙'이 적용되지만, 일부 경기에는 적용되지 않을 수 있다.
④ 모든 경기에서 1등부터 3등까지 상을 수여한다.

■ ① 지적장애인이면 누구나 참가할 수 있다. ② 성별과 장애 정도에 따라 별도로 경기를 한다. ③ 10%의 법칙은 경제사회학에서 나오는 법칙으로 "상위 10%가 전체의 90%를 차지한다."는 법칙이다. ④ 모든 참가자에게 참가상을 준다.

심화문제

17 **패럴림픽에 참가할 수 있는 장애가 아닌 것은?**

① 지체장애 ② 청각장애
③ 시각장애 ④ 지적장애

■ 패럴림픽에 청각장애인들을 위한 경기는 없다.

18 **장애인 체육대회에 대한 설명이다. 틀린 것은?**

① 데프림픽(Deaflympics) : 시각장애인대회
② 스페셜올림픽(Special Olympics) : 케네디재단에서 지적장애인인 케네디 대통령의 여동생을 위해서 시작한 캠프에서 유래
③ 패럴림픽(Paralympics) : 영국 스토크맨드빌 병원에서 2차 세계대전 중에 생긴 하체마비자들을 위한 대회를 개최한 데서 유래
④ 아시안패럴림픽(Asian Paralympics) : 아시안게임 직후에 개최되는 장애인경기대회

■ 데프림픽은 청각장애인 대회이고, 프랑스 파리에서 1924년에 처음 개최되었다.

19 **제8회 서울패럴림픽대회 이후의 변화가 아닌 것은?**

① 대한장애인체육회 설립
② 이천훈련원 건립
③ 평창 동계패럴림픽대회 개최
④ 전국장애인체육대회 개최 시작

■ 전국장애인체육대회는 1981년에 시작되었다. 제8회 서울패럴림픽대회는 1988년에 개최되었다.

정답 15 : ④, 16 : ③, 17 : ②, 18 : ①, 19 : ④

필수문제

20 보기는 국제 기능 · 장애 · 건강분류(International Classification of Functioning, Disability, and Health: ICF)에서 어떤 영역에 해당하는가?

> 보기
> A는 스포츠에 독립적으로 참여하는데 어려움이 있으나 적절한 지원을 받을 경우 문제없이 참여할 수 있다.

① 신체기능과 구조
② 참여
③ 활동
④ 장애

■ ICF 요약

구성요소	1부 / 기능수행과 장애		2부 / 배경 요인	
	신체기능과 구조	활동[4]과 참여[5]	환경적 요인[8]	개인적 요인
영역	신체기능[1] 신체구조[2]	삶의 영역 (과제, 행위)	기능수행과 장애에 대한 외적 영향	기능수행과 장애에 대한 내적 영향
구성	신체기능의 변화 (생리학적) 신체구조의 변화 (해부학적)	표준환경에서 과제를 실행하는 능력. 현재환경에서 과제를 실행하는 수행력	물리적 · 사회적 및 태도적 측면에서 촉진하거나 저해하는 영향력	개인의 태도에 대한 영향력
긍정적 측면	기능과 구조의 통합	활동, 참여	촉진 요인	적용 안 됨
	기능수행			
부정적 측면	손상[3]	활동 제한[6], 참여 제약[7]	장애 요인 저해 요인	적용 안 됨
	장애			

1) 신체기능 : 신체계통별 생리적 기능(심리적 기능 포함)
2) 신체구조 : 기관, 팔다리 및 그 구성요소들과 같은 신체의 해부학적 부위
3) 손상 : 현저한 변형이나 손실에 의한 신체기능 또는 구조상의 문제
4) 활동 : 개인이 과제나 행위의 실시
5) 참여 : 생활의 상황에 관여
6) 활동 제한 : 개인이 활동을 실시하는 동안 겪을 수 있는 어려움
7) 참여 제약 : 개인이 생활상황에 관여하는 동안 경험할 수 있는 문제
8) 환경적 요인 : 사람들이 생활하고 삶을 수행하는 데 필요한 물리적 · 사회적 · 태도적 환경을 구성하는 것.

정답 20 : ②

심화문제

21 보기에서 세계보건기구(WHO)의 기능 · 장애 · 건강에 대한 국제 분류(International Classification of Functioning, Disability, and Health: ICF)'에 대한 설명 중 괄호 안에 들어갈 가장 적절한 말은?

> 보기
> 장애는 (   )의 세 가지 영역 모두 또는 어느 한 가지 영역에서 겪게 되는 어려움으로 발생하며, 개인적 · 환경적 요인들에 의해서도 영향을 받는다.

① 신체 기능과 구조, 활동, 참여
② 지능, 신체 기능과 구조, 참여
③ 활동, 대인관계 능력, 신체 기능
④ 지능, 대인관계 능력, 신체 구조

■WHO의 기능 · 장애 · 건강에 대한 국제 분류 : 신체의 구조와 기능, 활동과 참여, 환경요인과 개인요인이 상호작용하며, 포괄적인 건강상태를 설명하는 것.
■그 단계는 다음과 같다.
- 0(어려움 전혀 없음; 0~4%)
- 1(약간 어려움: 5~24%)
- 2(보통 정도로 어려움: 25~49%),
- 3(상당히 어려움: 50~95%)
- 4(완전히 어려움: 96~100%)

필수문제

22 보기는 위닉(J. Winnick)의 5단계 스포츠 통합 연속체계이다. ㉠, ㉡에 들어갈 용어로 바르게 묶인 것은?

보기

구분	제한 정도에 따른 단계
1	(㉠)
2	편의를 제공한 일반 스포츠 (Regular Sport with Accommodation)
3	일반 스포츠와 장애인 스포츠 (Regular Sport & Adapted Sport)
4	(㉡)
5	분리 환경의 장애인 스포츠 (Adapted Sport Segregated)

	㉠	㉡
①	일반 스포츠 (Regular Sport)	통합 환경의 장애인 스포츠 (Adapted Sport Integrated)
②	일반 스포츠 (Regular Sport)	장애인 스포츠 (Adapted Sport)
③	통합스포츠 (Unified Sport)	통합 환경의 장애인 스포츠 (Adapted Sport Integrated)
④	통합스포츠 (Unified Sport)	장애인 스포츠 (Adapted Sport)

■1은 같은 시설, 같은 경기규칙을 적용하여 장애인과 비장애인의 구별 없이 함께 참석하는 스포츠이고, 5는 시설과 경기규칙을 바꾸어서 장애인만 따로 참여하는 스포츠이다. 1에서 5까지 연속체가 되려면 4에는 시설과 경기규칙이 일반 스포츠와 비슷한 환경에서 장애인들이 따로 하는 스포츠가 들어가야 한다.

정답 21 : ①, 22 : ①

23 **위닉(J. Winnick, 1987)의 장애인스포츠 통합 연속체에서 보기의 내용에 해당하는 단계는?**

> 보기
> » 시각장애 볼링선수가 가이드 레일(guide rail)의 도움을 받아 비장애선수와 함께 경쟁하였다.
> » 희귀성 다리순환장애 골프선수가 카트를 타고 비장애선수와 함께 경쟁하였다.

① 일반스포츠(regular sport)
② 편의를 제공한 일반스포츠(regular sport with accommodation)
③ 일반스포츠와 장애인스포츠(regular sport & adapted sport)
④ 분리된 장애인스포츠(adapted sport segregated)

■ 위닉(J. Winnick)의 5단계 스포츠통합연속체계

통합 단계	참가 수준
Level 1. 일반스포츠	모두 선수에게 동일한 기준 적용.
Level 2. (편의를 제공한) 일반스포츠	경기 결과에 관계없이 시설 · 기구를 이용할 수 있음.
Level 3. 일반스포츠와 장애인스포츠	장애 여부에 관계없이 경기에 함께 참여. 규칙을 그대로 적용.
Level 4. 통합 장애인스포츠	장애인선수와 비장애인선수가 규칙을 변경하여 참가.
Level 5. 분리된(환경의) 장애인스포츠	장애인선수만 참가.

필수문제

24 **용어의 시대적 변화를 순서대로 연결한 것은?**

> 보기
> ㉠ 특수체육(adapted physical activity)
> ㉡ 교정체육(corrective physical education)
> ㉢ 의료체조(medical gymnastics)
> ㉣ 특수체육(adapted physical education)

① ㉢-㉡-㉣-㉠　　② ㉢-㉣-㉠-㉡
③ ㉣-㉢-㉠-㉡　　④ ㉣-㉢-㉡-㉠

■ **특수체육의 용어 변화**
의료체조→교정체육→적응체육(adapted physical education, 문제에서는 특수체육이라 했음)→특수체육(adapted physical activity)

정답　23 : ②, 24 : ①

심화문제

25 특수체육의 정의 중에서 틀린 것은?

① 장애아동의 한계 · 능력 · 흥미에 알맞게 짜여진 발달활동, 게임, 스포츠, 리듬 활동 등의 프로그램이다.

② 일반 수업에서 기대되는 효과를 얻지 못하거나 안전하게 참여할 수 없는 학생들에게 적절한 프로그램을 제공하는 전문영역이다.

③ 장애인의 독특한 욕구를 충족시키기 위하여 특별히 계획된 프로그램을 취급하는 체육의 한 영역이다.

④ 장애인들에게 신체활동의 즐거움을 제공하기 위해서 일반 체육프로그램을 적용시키는 것이다.

■ 특수체육은 일반체육 프로그램을 장애인 개개인에게 맞도록 적절히 변형하여 적용시키는 것이다.

26 특수체육(adapted physical activity)에 관한 설명 중 옳지 않은 것은?

① 참여촉진의 수단으로 변형을 활용한다.

② 학교체육 및 평생체육을 포함한다.

③ 개인의 장애를 치료하는데 주목적이 있다.

④ 정상화를 실현하기 위해 통합체육을 강조한다.

■ 개인의 장애를 치료하는 것은 의사의 역할이다.

27 특수체육의 특징 중 잘못된 것은?

① 법률적 사고와 사정에 기초하여 제공되는 서비스이다.

② 낮은 수준의 심동적 수행을 고려한 서비스이다.

③ 운동기능을 전문적으로 취급하는 서비스이다.

④ 생태계의 변화를 지향하는 서비스이다.

⑤ 제공한 서비스의 효과를 설명할 수 있어야 한다.

■ 운동기능을 전문적으로 취급하는 서비스는 프로스포츠이다.

28 특수체육에 대한 설명으로 적절하지 않은 것은?

① 독특한 요구를 충족시키기 위해 시행되는 다양한 신체활동을 포함한다.

② 심동적, 인지적, 정의적 가치를 추구한다.

③ 특수체육의 용어에서 특수는 영문으로 Adapted라는 용어를 사용한다.

④ 장애인들을 위한 치료활동으로 의료기관 중심의 처치를 강조한다.

■ 치료활동은 체육이 아니다.

정답 25 : ④, 26 : ③, 27 : ③, 28 : ④

29 보기에서 설명하는 특수체육의 하위 영역은?

보기
장애인 건강권 및 의료접근성 보장에 관한 법률(2015)에 근거하여 장애인 또는 손상이나 질병 발생 후 완전한 회복이 어려워 일정기간 내에 장애인이 될 것으로 예상되는 사람의 신체적 · 정신적 기능과 사회적 능력을 향상시키기 위한 프로그램을 제공한다.

① 운동치료 ② 재활운동 및 체육
③ 심리운동 ④ 감각 및 지각 운동

■ 장애인이나 장애인이 예상되는 사람의 신체적 · 정신적 · 사회적 능력 향상 프로그램은 재활운동 및 체육인데, 이것은 특수체육의 하위영역이다.

필수문제

30 특수체육(Adapted Physical Activity)의 개념에 관한 설명 중 옳지 않은 것은?

① 법률에 기초하여 신체활동 서비스를 제공한다.
② 심동적 문제의 발견과 해결을 목적으로 하는 다학문적 지식체계이다.
③ 개인적 요구를 충족시켜주기 위해 분리된 환경에서의 서비스 제공을 기본으로 한다.
④ 신체활동 참여에서 임파워먼트(empowerment)를 강조한다.

■ 특수체육은 개인적 욕구충족을 위해 분리된 환경에서 실시해서는 안 된다.

심화문제

31 특수체육의 분류 중에서 틀린 것은?

① 적응체육 : 장애인에게 안전하고 성공적이며 만족스러운 운동참여 기회를 제공하기 위해서 전통적인 체육활동을 변형시켜서 적용하는 것
② 교정체육 : 자세와 신체기능의 결함을 개선하기 위해서 하는 훈련 또는 재활활동
③ 발달체육 : 장애학생의 능력을 일반 또래 수준까지 향상시키기 위해서 점진적으로 실시하는 건강체력 및 큰 근육 활동
④ 의료체육 : 만성적인 성인병을 치료하기 위해서 실시하는 체육활동

■ 의료체육은 특정한 신체활동을 통하여 장애인의 운동능력을 회복시키고, 발달시키려는 활동이다.

정답 29 : ②, 30 : ③, 31 : ④

필수문제

32 보기의 ㉠, ㉡, ㉢에 해당하는 특수체육의 교육목표 영역이 바르게 나열된 것은?

보기
» (㉠) 영역 : 새로운 것을 시도하고 적절한 게임 전략을 고안한다.
» (㉡) 영역 : 게임, 스포츠, 댄스, 수영에 필요한 운동 기술을 숙달한다.
» (㉢) 영역 : 건강하고 사회적으로 받아들여지는 방법으로 긴장을 이완시키는 것을 배운다.

	㉠	㉡	㉢
①	심동적	정의적	인지적
②	심동적	인지적	정의적
③	인지적	정의적	심동적
④	인지적	심동적	정의적

■ **인지적 영역** : 지식·이해력·사고력·분석력·종합력·평가력 등
■ **심동적 영역** : 인간의 조작적 기능·운동기능·신경근육의 발달 정도나 숙련 정도·신체의 운동을 사용하고 조작하는 능력과 관련된 행동능력 등
■ **정의적 영역** : 인간의 흥미·태도·감상·가치관·감정·신념 등

심화문제

33 특수체육의 정의적 영역의 목표에 해당하는 것은?

① 기본적인 운동기술과 운동양식을 배운다.
② 신체활동의 참여를 통해 자아개념과 신체상을 강화한다.
③ 심폐지구력을 기른다.
④ 게임, 스포츠, 댄스 등에 참여하기 위해 필요한 운동기술을 숙달한다.

■ ①, ③, ④는 심동적 영역(실천)의 목표이다.

34 특수체육의 심동적 목표가 아닌 것은?

① 기본적인 운동기술이나 운동패턴을 효과적으로 유지하거나 발달시킨다.
② 긍정적인 자아개념과 신체상을 갖게 한다.
③ 건강 및 운동체력을 적절한 수준으로 유지하고 발달시킨다.
④ 스포츠나 유희 등에서 사용되는 기술을 발달시킨다.

■ ②는 특수체육의 정의적인 목표이다.

35 특수체육의 구성요소가 아닌 것은?

① 심동적 영역(실천) : 운동기술과 패턴의 학습
② 인지적 영역(지식) : 지각운동 기능과 행동에 관한 지식
③ 정의적 영역(믿음) : 긍정적 자아개념
④ 신체적 영역(체력) : 평균적인 신체활동

■ 신체적 영역은 심동적 영역의 일부로 간주할 수 있다. 장애인이 평균적인 신체활동을 할 수 있겠는가?

정답 32 : ④, 33 : ②, 34 : ②, 35 : ④

36 장애를 개념화하는 접근 모델 중 사회적/교육적 모델에 관한 설명으로 옳은 것은?

■ 특수체육의 교육적 모델(p. 4) 참조.
■ ①, ②, ③은 의학적 모델에 대한 설명이다.

① 장애인을 병리 현상에 따라 분류하고 신체활동을 재활의 도구로 간주한다.
② 장애인을 체육서비스의 수동적 수혜자로 간주한다.
③ 장애인의 문제를 검사, 진단하고 치료에 초점을 맞춘다.
④ 장애인의 개인차를 존중하며 스스로가 장애조건을 변화시키는 주체로 간주한다.

필수문제

37 통합(inclusion)에 관한 설명으로 옳지 않은 것은?

■ 사회성 기술을 배울 수 있는 기회를 제공하기 위하여 통합교육을 한다.

① 통합은 장애인과 비장애인의 상호 이해의 계기를 제공한다.
② 비장애인과 함께 신체활동에 참여하면 장애인은 사회성 기술을 발전시킬 수 없게 된다.
③ 통합은 법적 강제 사안은 아니다.
④ 통합 환경에서 비장애인의 올바른 운동기술 수행은 장애인에게 훌륭한 모델이 될 수 있다.

필수문제

38 특수체육이 추구하는 가치가 아닌 것은?

■ 특수체육이 추구하는 가치(p. 6 참조)에 '특성화'는 없다.

① 정상화 : 장애아동이 가능한 한 무난하게 일반사회에 적응해갈 수 있도록 한다.
② 최소제한 환경(LRE) : 장애가 있는 학생을 그가 가진 능력에 적합한 환경에 배치하되 가능한 한 일반학생들의 환경과 비슷해야 한다.
③ 주류화 : 일반 교육프로그램에 장애학생을 통합하려고 노력하는 것
④ 특성화 : 장애학생과 일반학생을 구별하여 특별교육을 시키는 것.

심화문제

39 체육 또는 스포츠가 장애인에게 주는 가치를 잘못 설명한 것은?

■ "사회적인 성격형성을 돕는다."가 사회적 가치이다.

① 치료적 가치 : 치료훈련이며, 다른 요법의 효과를 상승시킨다.
② 신체적 가치 : 체력과 운동기능을 향상시킨다.
③ 심리적 가치 : 생활에서 즐거움을 발견하려는 의욕을 고취시킨다.
④ 사회적 가치 : 사회적 불안요소를 제거한다.

정답 36 : ④, 37 : ②, 38 : ④, 39 : ④

필수문제

40 쉐릴(C. Sherrill)이 제시한 적응이론(adaptation theory)에 관한 설명으로 옳지 않은 것은?

① 지도와 학습을 통하여 지도자와 학습자 모두가 발전적으로 변화한다.
② 과제, 환경, 사람 변인 간의 상호작용을 강조하는 생태학적 과제 분석과 밀접한 관련성이 있다.
③ 적응 과정은 지도자 주도의 직접 지도 과정이다.
④ 적응은 개인의 요구에 따라 다양한 변인을 조정하고 변경하는 것을 의미하므로 개별화의 과정이다.

■ 적응이론은 생태학적 과제 분석과 밀접한 관련성이 있고, 적응 과정은 지도자 주도의 직접 지도과정이며, 개인의 요구에 따라 다양한 변인을 조정·변경하므로 개별화 과정으로 볼 수 있다. 따라서 ①은 적응이론과 관련이 없다.

필수문제

41 최소제한환경(Least Restrictive Envi-ronment : LRE)에 관한 설명으로 옳은 것은?

① 완전통합(full inclusion)의 개념을 포함한다.
② 장애인에게는 무조건 편의를 제공해야 한다.
③ 장애인의 개인적 요구에 따라 서비스를 제공한다.
④ 장애인은 비장애인과 함께 신체활동을 할 수 없다.

■ 최소제한환경은 장애아동을 또래의 비장애아동, 가정, 지역사회로부터 최소한으로 분리시켜야 한다는 개념인데, 이는 결국 장애인의 개인적 요구에 따라 서비스를 제공해야 한다는 뜻이다.

심화문제

42 최소제한환경(LRE)의 개념에 대한 설명이다. 틀린 것은?

① 장애아동들이 최대한 비장애아동들과 함께 교육을 받아야 한다는 개념이다.
② 장애아동들의 삶은 장애 때문에 특수할 수밖에 없다는 개념이다.
③ 장애아동들의 교육은 개별적인 필요에 따라야 하지만, 필요 이상으로 개인의 자유가 침해되어서는 안 된다는 개념이다.
④ 장애아동은 장애가 없는 또래, 가정, 지역사회로부터 가능한 한 최소한으로 분리되어야 한다는 개념이다.

■ 최소제한환경은 장애학생의 교육을 위해 장애학생을 일반 학교 환경에서 배제하는 것을 최소화해야 한다는 것이다. 즉 장애아동들의 삶은 가능한 정상적이어야 한다는 개념이다.

43 보기는 경기 참여 방식에 따라서 최소제한환경(LRE)의 정도를 나타낸 것이다. (③) 안에 들어가야 할 말은?

보기								
① 일반스포츠	–	② 비장애인 스포츠의 적용	–	(③)	–	④ 통합된 장애인스포츠	–	⑤ 분리된 장애인스포츠
최소		←		환경의 제한		→		최대

① 비장애인스포츠와 장애인스포츠
② 준(반)장애인스포츠
③ 준(반)비장애인스포츠
④ 변형스포츠

정답 40 : ①, 41 : ③, 42 : ②, 43 : ①

필수문제

44 **장애의 원인과 맥락을 이해하기 위해서는 각종 장애모델과 주요 관점을 알아야 한다. 장애모델과 주요 관점에 대한 설명이 잘못된 것은?**

① 도덕모델 : 장애에 대하여 도덕적 책임이 있다.
② 의학모델 : 장애는 결함이 있거나 열등한 것을 의미한다.
③ 사회모델 : 장애는 사회적으로 낙오를 의미한다.
④ 인권모델 : 장애와 관계없이 모든 인간은 불변의 권리가 있다.

■'장애'는 '사회적으로 낙오'를 의미하는 것이 아니라 '서로 다르다'를 의미한다.

필수문제

45 **참여자에게 종목선택권을 부여하고 의사결정 참여 기회의 폭을 넓혀주는 것은?**

① 몰입(flow)
② 임파워먼트(empowerment)
③ 강화(reinforcement)
④ 사회적 참여(social engagement)

■장애인에게도 자신들의 삶에 영향을 미칠 수 있는 일의 의사결정에 직접 참여할 수 있는 권리(자결권)가 있다는 것이 장애인 임파워먼트(권리신장, 권리 부여, 권리 인정)이다.

심화문제

46 **미국 장애인법(ADA)에 명시된 내용을 잘못 설명한 것은?**

① 장애인의 고용을 거부할 수 없고, 고용된 장애인에게 편의시설을 제공해야 한다.
② 장애인 모두 교통시설을 이용할 수 있게 해야 한다.
③ 편의시설은 비장애인용과 장애인용을 구별해서 설치해야 한다.
④ 전화회사는 청각장애인을 위한 통신시설을 24시간 제공해야 한다.

■모든 편의시설은 장애인이 이용할 수 있어야 한다.

47 **장애인의 임파워먼트(권리신장)에 대한 설명이다. 잘못된 것은?**

① 자결성 : 자신의 삶에 영향을 미치는 의사결정에 직접 참여한다.
② 장애성 : 장애를 인정하고, 적극적으로 도움을 이끌어낸다.
③ 사회적 참여 : 낙인이나 불공정에 대해 정당한 분노를 하고 지지활동에 참여한다.
④ 개인적 유능감 : 긍정적인 자기유능감을 갖는다.

■장애인의 권리를 인정하는 것이지, 장애를 인정하는 것은 아니다.

48 **임파워먼트(empowerment)의 속성으로 장애인 스스로가 스포츠 활동을 선택하고 참여한다는 개념은?**

① 자신감(self-confidence)
② 자결성(self-determination)
③ 사회적 참여(social engagement)
④ 개인적 유능감(personal competence)

■자신감은 임파워먼트와 관련이 없고, 자기 일은 자기 스스로 결정할 수 있다는 것이 자결성이다.

정답 44 : ③, 45 : ②, 46 : ③, 47 : ②, 48 : ②

필수문제

49 장애인스포츠와 관련된 긍정적인 변화를 위한 사회적 노력으로 잔스마와 프랜치(P. Jansma와 R. French,1994)가 제시한 '4L'의 방법이 아닌 것은?

① 장애인스포츠와 관련된 지식의 창출과 보급(Literature)
② 장애인스포츠 관련 단체 등의 목표를 성취하기 위한 집단행동(Leverage)
③ 장애인스포츠에 대한 법률관계 확정을 위한 소송(Litigation)
④ 장애인스포츠에 대한 장애인의 학습(Learning)

■ 잔스마와 프랜치의 4L
· Literature : 새로운 지식의 창출과 보급
· Leverage : 목표 달성을 위한 집단 행동
· Litigation : 법률관계 확정(권리주장)을 위한 소송
· Learning : 실행을 보장하기 위한 입법
자료 : 특수체육론(최승권 저)

참고 : 잔스마와 프랜치의 특수체육의 정의
특수체육이란 특별한 요구가 있는 아동들에게 적합한 프로그램을 제공하기 위해 개발한 체육의 특수영역인데, 교정체육, 발달체육 및 특수체육 프로그램으로 구분된다.

필수문제

50 미국 장애인교육법(Individuals with Disabilities Education Act: IDEA, 2004)에서 명시한 통합교육과 관련된 용어는?

① 통합(inclusion)
② 정상화(nomalization)
③ 주류화(mainstreaming)
④ 최소한으로 제한된 환경(least restrictive environment)

■ 미국 장애인교육법 : 전장애아교육법(EHA : 1975)을 1990년에 개정하여 IDEA로 함. 최초의 개정법은 2004년에 현재의 명칭인 미국장애인교육향상법(IDEA)임.

■ **IDEA의 모든 장애아동에게 적절한 교육을 제공하기 위한 주요 원칙**
· 교육적 배치에서 아동 배제 금지
· 평가절차상의 보호(편견적 판별과 평가)
· 무상의 적절한 공교육 제공
· 최소로 제한된 교육환경
· 적법절차에 따른 장애 아동과 부모의 권리 보호
· 교육 프로그램 결정 시 부모와 학생 공동 참여

정답 49 : ④, 50 : ④

02 Chapter 특수체육에서 사용하는 사정과 측정도구

사정의 의미와 가치

1 사정의 정의

교육적 의사결정에 필요한 자료를 수집하고 평가하는 과정을 **사정**이라고 한다. 사정을 위하여 수집되는 자료는 양적 자료일 수도 있고 질적 자료일 수도 있다. 양적 자료는 지필검사 점수나 5점 척도 점수처럼 수량적 형태로 제시되는 자료를 말하고, 질적 자료는 과제물에 대한 기술적 표현처럼 서술적 형태로 제시되는 자료를 의미한다.

양적 자료를 수집하는 과정을 **측정**(measurement)이라 하고, 사정을 통하여 양적 및 질적인 특성을 파악한 후 가치판단을 통하여 미래의 방향을 설정하는 것을 **평가**(evaluation)라 한다.

2 사정의 방법

검사(test)	점수 또는 다른 형태의 수량적 자료를 산출하기 위하여 요구하는 질문 또는 과제이다.
관찰(observation)	일상적인 상황에서 자연스럽게 나타나는 아동의 행동을 기술 또는 기록함으로써 객관적인 자료를 수집하는 방법이다.
면접(interview)	면접자와 피면접자가 대면 대화를 통해 일련의 질문에 대한 반응을 기록하는 방법이다.
교육과정중심 사정 (curriculum-based assessment)	아동에게 가르치는 교육과정과 관련하여 아동의 수행에 대한 자료를 수집하는 방법이다.
수행 사정 (performance assessment)	행위를 수행하거나 결과를 산출하는 아동의 기술을 관찰하여 판단하는 사정 방법이다.
포트폴리오 사정 (portfolio assessment)	아동의 작업이나 작품을 수집하여 아동의 성취를 평가하는 방법이다.

3 사정의 의미

다음은 특수체육에서 사정의 의미를 여러 학자들이 설명한 것을 모아서 정리한 것이다.

- ☞ 피교육자의 수준을 파악하고, 탐색하며, 지도하는 기초자료이다.
- ☞ 자료의 의미를 결정하기 위하여 검사 자료를 분석하는 것이다.
- ☞ 자료를 수집하고 해석하며 의사결정을 하는 종합적인 과정이다.
- ☞ 수집된 정보를 다양한 방법으로 연관시켜서 문제를 해결하는 과정이다.

위의 의견들을 종합하여 볼 때 특수체육에서의 '사정'은 장애아동 한 사람 한 사람에게 가장 적절한 체육교육 서비스를 제공하기 위해서 개별화교육을 준비하고, 설계하고, 실행하고, 평가하는 모든 과정이 포함된 의미라는 것을 알 수 있다.

4 진단과 평가의 개념

진단은 특수아동을 발견 또는 확인하고 특수교육을 위한 계획서를 작성하기 위해서 어떤 검사를 하는 것이고, 평가는 교육을 시킨 결과 그 성취도가 어느 정도인지 알아보기 위해서 어떤 검사를 하는 것이다.

그런데 특수체육에서는 진단한 결과를 가지고 장애아동을 적절하게 배치해야 하고, 개별화교육 계획을 세워야 한다. 그러려면 진단을 하든, 측정을 하든, 평가를 하든 모두 평가가가 뒤따라야 하기 때문에 특수체육에서는 사정이라는 용어를 사용하는 것이다.

평가방법

1 형식적 평가와 비형식적 평가

대학수학능력시험처럼 검사(시험지)를 만들 때부터 검사의 내용, 검사방법, 채점방법, 채점결과의 해석 및 이용방법 등을 모두 구체적으로 결정해서 하는 검사를 형식적 평가라고 한다.

형식적 평가의 장점은 다음과 같다.

- ☞ 검사하기가 간편하고 쉽다.
- ☞ 검사의 신뢰도와 타당도가 높다.
- ☞ 객관성이 있다.

형식적 평가의 단점은 다음과 같다.

- ☞ 검사문항을 작성하기 어렵고
- ☞ 검사 내용이 제한적이다.
- ☞ 검사를 받는 학생의 의도대로 결과를 조작할 수 있다.

면접이나 관찰같이 어떤 형식이 갖추어져 있지 않고 검사자의 관찰결과와 평가에 의존하는 방법을 비형식적 평가라고 한다. 비형식적 검사는 장애아동의 현재 수준 또는 향상된 정도를 쉽고 정확하게 알 수 있다는 장점이 있지만, 규준이 없기 때문에 검사결과의 해석이나 평가를 검사자의 재량에 맡겨야 된다는 단점이 있다.

2 진단평가와 성취도평가

- ☞ 검사대상인 장애아동이 특정한 영역에 장애가 있는지 또는 기능상의 결함이 있는지 알아보기 위해서 어떤 검사를 해보는 것을 진단평가라 한다.
- ☞ 일정 기간 동안 특수체육 지도를 한 다음 학생의 운동행동에 얼마만큼 변화가 생겼는지 알아보기 위해서 어떤 검사를 해보는 것을 성취도평가라 한다.

3 준거지향 평가와 규준지향 평가

- ☞ 사전에 결정된 어떤 수행준거 또는 목표를 얼마나 성취하였는지에 초점을 두고 평가하는 것을 준거지향평가라고 한다.
- ☞ 개인의 성취수준을 다른 사람들 또는 규준집단의 성취 정도와 비교해서 상대적인 위치로 평가하는 것을 규준지향평가라고 한다.

4 준거지향 평가의 특징

- ☞ 학습자의 핵심 성취기준이나 행동목표의 도달 정도를 알아보기 위한 평가방법이며, 절대평가라고도 한다. 비형식적 평가는 대부분이 준거지향 평가이다.
- ☞ 교육목표에 비추어 평가하기 때문에 목표지향 평가라고도 한다. 교육목표나 학습목표를 설정해 놓고 그 목표에 맞추어서 학습자 개개인의 학업 성취를 따지는 입장이다.
- ☞ 학습자가 '무엇'을 얼마나 알고 있는지 또는 학습자가 정해진 준거나 목표에 도달하였는지를 판단하는 평가이다.
- ☞ 검사의 타당도를 강조한다.
- ☞ 장점은 교수-학습 이론에 적합하며, 교육목표 · 교육과정 · 교수학습 방법의 개선에 용이하게 사용할 수 있다.
- ☞ 단점은 누가 잘 하고 누가 잘 못하는지 구별하기 어렵고, 검사 결과(점수)를 통계적으로 활용할 수 없다.

5 규준지향 평가의 특징

- ☞ 학습자의 평가 결과를 그가 속해 있는 집단 내에서 상대적인 위치로 나타내는 평가방법으로, 상대평가라고도 한다.
- ☞ 학습자들의 상대적인 능력이나 기술을 비교해 보고, 그것에 대한 우열을 가려내는 기능을 강조한다. 형식적 평가의 대부분은 규준지향 평가이다.
- ☞ 소수의 우수 학생을 가려내거나 학생 집단 내에서의 학업성취 수준의 차이를 밝혀내려는 입장이다.
- ☞ 규준은 원점수의 상대적인 위치를 설명하기 위해 쓰이는 척도이며, 모집단을 대표하기 위해 추출된 표본에서 산출된 평가와 표준편차로 이루어진다.
- ☞ 검사의 신뢰도를 강조하고 검사의 정상분포를 기대한다.
- ☞ 장점은 개인차의 변별이 가능하며, 교사의 편견이 배제되는 평가가 가능하다. 그리고 경쟁을 통해 학습자들의 동기유발을 이끌어내는 데 효과적이다.
- ☞ 단점은 교수-학습 이론에 부적절한 평가방법이다. 과다한 경쟁 심리로 인해 학생들의 인성을 저해하기도 한다.

6 생태학적 접근

아동의 발달 또는 학습은 개인과 환경의 상호작용에 의해서 끊임없이 역동적으로 변화하는 것으로 보는 것을 생태학적 접근이라고 한다.

브론펜브레너(Bronfenbrenner, U.)는 다음과 같은 5가지 수준의 주위 환경이 아동의 발달(학습)에 영향을 미친다고 설명하면서, 아동은 단순히 환경의 영향을 받는 존재가 아니라 환경에 영향을 주기도 하는 상호작용적인 존재임을 강조하였다.

미세구조 (microsystem)	물리적 환경, 부모, 또래, 형제자매, 학교 교직원을 포함하여 아동과 가장 밀접한 사람과의 활동이다.
중간구조 (mesosystem)	소구조들 사이의 관계와 상호작용을 포함한다.
외부구조 (exosystem)	사회지원기관, 부모의 직장, 확대가족, 이웃, 법체계 등으로 아동과 면 상호작용을 하지만 그들의 발달에 영향을 미치는 외부체계이다.
거대구조 (macrosystem)	아동이 속해 있는 사회의 가치, 법률, 관습, 규범, 국민성, 문화적 태도, 정치적 환경, 대중매체 등 문화적 · 법적인 구조에 해당한다.
시간구조 (chronosystem)	어떤 개인이나 환경의 특성이 시간의 경과에 따라 변화하거나 계속해서 일관성을 유지하는 체계를 말한다.

생태학적 관점에서 볼 때 학습은 개인이 환경에 적응해나가는 과정이고, 교육은 개인이 환경에 잘 적응하도록 돕는 일일 뿐이다. 그러므로 학생들의 환경을 잘 파악하고, 그 환경 중에 부족한 것을 적절히 보완하거나 조정해주는 일이 교육이 해야 할 일이 된다.

그러한 맥락에서 보면 교육평가는 교육목표를 얼마나 달성했는가를 측정하는 일이 중요한 것이 아니라, 아동이 최선의 선택을 할 수 있도록 도와주기 위해서 각종 정보를 수집하고 가치판단을 하는 일이 더 중요하다.

생태학적 입장에서 학습을 보는 학자들은 "지금까지 해 오던 학생을 선발하기 위한 선발형평가 또는 서열을 매기기 위한 서열형 평가는 줄이고, 학생의 성장 · 발달을 돕기 위한 충고형 평가로 전환해야 한다."고 주장한다(한국교육과정평가원, 2000).

장애인 대상 검사도구

1 TGMD(대근육발달검사)

미국 미시간대학에서 대근육의 운동능력을 검사하는 도구로 개발한 것이다. 다음은 TGMD-2 검사의 특성들을 정리한 것이다.

- ☞ 3~10세의 장애아동 또는 비장애아동을 대상으로 검사를 한다.
- ☞ 달리기(run), 말뛰기(gallop), 외발뛰기(hop), 건너뛰기(leap), 제자리멀리뛰기(jumping), 옆으로 뛰기(slide) 등 이동기술 6종목을 검사한다.
- ☞ 치기striking a ball), 튕기기(dribble), 받기(catching), 차기(kicking), 던지기(overhand throw) 등 조작기술 5종목을 검사한다.
- ☞ 동작의 정확성과 숙련도를 확인해서 원점수를 부여해야 한다.
- ☞ 경증 장애아동의 경우 표준화점수를 알아보려면 점수변환 방법을 잘 읽어본 다음 변환을 한다. 그러면 백분위점수, 표준점수, 대근운동발달지수 등을 구할 수 있다.
- ☞ 원점수를 준거지향 평가의 결과로 변환해서 나온 점수는 규준지향 평가의 결과로 사용할 수 있다.

❷ BPFT(브록포트 건강체력검사)

미국의 뉴욕주립대학교 브록포트 칼리지에서 개발한 건강관련 체력검사를 준거지향 평가 방식으로 수행할 수 있는 도구이다. 다음은 BPFT의 특성을 요약하여 정리한 것이다.

☞ 1~17세의 척수장애 · 뇌성마비 · 절단장애 · 지적장애 · 시각장애 아동 또는 비장애아동을 대상으로 체력검사를 한다.

☞ 장애유형과 장애 정도에 따라서 검사항목과 검사방법을 다르게 선택해서 할 수 있다. 즉, 사람마다 검사항목과 검사방법을 다르게 구성할 수 있다.

☞ 근골격계의 기능과 근력 및 근지구력 검사방법 16가지, 신체조성 측정방법 2가지, 유산소성 기능 측정방법 3가지, 유연성 측정방법 5가지로 구성되어 있다.

☞ 연령대별 건강기준과 권장기준이 있다.

❸ 학생 건강체력 평가도구(PAPS)

☞ 학생들의 비만과 체력 저하 방지를 위해 우리나라에서 개발된 건강 체력관리 프로그램이다.

☞ 학생들의 건강 정도를 평가해 그 결과에 따라 운동처방을 내리기 위한 목적으로 실시된다.

☞ 5개 체력요인(심폐지구력, 유연성, 근력 · 근지구력, 순발력, 체지방)을 12개 종목에서 선택하여 측정한다.

☞ 12개 종목 외에 근육량 · 지방량 · 체지방률 등을 측정하는 비만평가, 심폐능력 정밀 평가, 자기신체 평가, 자세이상, 신체 뒤틀림 등을 평가하는 자세평가도 있다.

☞ 장애학생의 건강체력을 측정할 수 있는 별도의 평가도구(PAPS-D)도 개발되었다.

과제분석

과제분석(課題分析, task analysis)이란 "학습자가 수행해야 할 과제를 더 단순한 하위 과제로 분할하는 것"을 말한다. 모든 과제는 더 세분화된 하위 과제로 쪼갤 수 있으며, 하위 과제들을 누적하여 익히면 목표로 하는 학습에 도달할 수 있다는 가정 하에 과제분석을 한다.

❶ 과제분석의 목적

과제분석은 다음과 같은 용도로 사용할 수 있다.

☞ 교사가 체계적이고 논리적인 순서로 학생들을 지도할 수 있도록 교수 계획을 수립하는 데 활용할 수 있다.

☞ 단번에 학습하기 어려운 과제를 조금씩 점진적으로 학습할 수 있게 하는 교수 방법으로 활용할 수 있다.

☞ 학생이 과제 내에서 무엇을 할 수 있고 무엇을 할 수 없는지를 파악하는 데에 활용할 수 있다.

☞ 학생의 성취 정도를 알아보는 데에 활용할 수 있다.

☞ 교사가 학생들을 잘 가르쳤는지 교수 효과성을 알아보는 데에 활용할 수 있다.

특수체육에서는 과제분석이 교수계획, 교수방법, 교수평가의 여러 가지 측면에서 모두 사용할 수 있어서 좋은 점도 많지만 다음과 같은 단점도 있다.

☞ 학습과제의 기능적 측면보다 발달적 측면을 지나치게 강조함으로써 장애학생의 학습 가능성을 제한할 수도 있다.

☞ 단계적으로 나누기 곤란하고 총체적으로 학습해야만 하는 학습과제에는 적용하기 어렵다.

2 과제분석의 유형

▶ 과제분석의 목적에 의한 분류

동작중심 과제분석	» 운동수행능력의 질적 향상을 목표로 함. » 세부 움직임 기술에 대한 단계적 지도.
유사활동 중심 과제분석	» 특정 목표 달성과 연관된 활동의 병렬식 구분. » 유사성이 있는 과제들로 구성한 목표 달성.
영역중심 과제분석	» 경기와 같은 과제 수행을 위해 분류 영역을 넓힌 경우 » 심동적 · 정의적 · 인지적 영역에서 추구할 내용과 지도내용을 구체화하기 위한 활동.

▶ 환경요인에 의한 분류

생태학적 과제분석	» 운동기술 · 움직임과 함께 학생의 특성 · 선호도 · 운동기술 · 운동수행 등에 영향을 줄 수 있는 환경요소를 고려. » 기능적 움직임의 생태학적 과제분석 모형의 4단계 과제목표 확인 → 선택 → 조작 → 지도
생체역학적 과제분석	» 이상적인 동작수행을 위한 생체역학적 요소를 발전시킬 필요가 있을 때.

필수 및 심화 문제

필수문제

01 개개인의 운동능력을 측정하기 위한 표준화검사에 대한 설명이다. 잘못된 것은?

① 표준화검사는 규준지향검사와 준거지향검사로 구분한다.
② 규준지향검사는 개개인의 능력을 또래 그룹의 수행능력과 비교하는 것이다.
③ 준거지향검사는 개개인의 능력을 사전에 결정된 준거와 비교하는 것이다.
④ 규준지향검사는 백분위, T점수, Z점수 등으로 나타내고, 준거지향검사는 무엇을 할 수 있고, 무엇을 할 수 없는 지에 초점을 맞춘다.
⑤ 두 가지 검사방법 모두 평균점수가 중요한 의미를 갖는다.

■ 규준지향검사에서는 또래그룹의 평균점수가 중요한 의미를 갖지만, 준거지향검사에서는 평균점수가 아무런 의미도 없다.

필수문제

02 규준지향검사와 준거지향검사의 특성과 장단점에 대한 설명이다. 잘못된 것은?

① 준거지향검사는 숙달기준인 준거와 비교하여 대상자의 수준을 알아본다.
② 규준지향검사는 또래 집단의 점수분포에서 대상자의 위치를 알아본다.
③ 준거지향검사는 프로그램의 계획 및 평가에 사용하고, 규준지향검사는 동일집단 내에서의 상대적 위치를 파악할 때 사용한다.
④ 준거지향검사는 IEP 작성에 도움이 되지 못하고, 규준지향검사는 지적장애아동에게 적용하는 데에 편리하다.

■ 준거지향검사는 IEP(개별화 교육 프로그램) 작성에 도움이 되고, 규준지향검사는 지적장애아동에게 적용할 때는 불편하다.

심화문제

03 특수체육의 측정평가에 관한 설명으로 틀린 것은?

① 검사(test)도구나 방법을 선택할 때 타당도와 신뢰도를 고려한다.
② 표준화검사(standardized test)에는 측정 순서, 형식, 대상자, 해석방법 등이 정해져 있다.
③ 규준지향검사(norm-referenced test)는 운동수행 능력을 시간, 횟수, 거리 등과 같은 객관적인 수치로 나타낸다.
④ 준거지향검사(criterion-referenced test)는 장애인의 운동수행 능력을 준거집단의 능력과 비교한다.

■ ④는 규준지향검사에 대한 설명이다.

정답 01 : ⑤, 02 : ④, 03 : ④

필수문제

04 보기에서 ㉠~㉢에 들어갈 장애인스포츠 프로그램 서비스 전달 단계가 바르게 묶인 것은?

보기

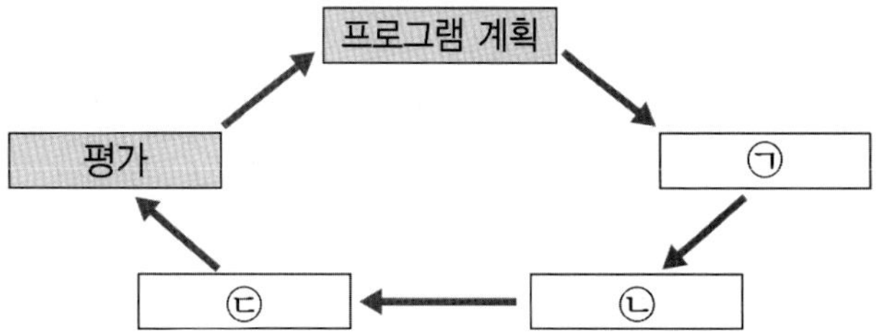

	㉠	㉡	㉢
①	사정	개별화교육계획	교수·코칭·상담
②	개별화교육계획	교수·코칭·상담	사정
③	개별화교육계획	사정	교수·코칭·상담
④	교수·코칭·상담	개별화교육계획	사정

■ **장애인 스포츠 프로그램 전달체계**(성취 기반 교육과정에 의함)
프로그램계획(목표로 하는 기술에서 시작하여 기초기술을 지도함)→**사정**(의사결정용 자료수집)→**교육(수업)계획**(운동기술 습득 후 학생의 요구해결을 위한 수업계획 수립)→**교수 · 코칭 · 상담**(교수 및 지도 : 목표로 하는 기술 습득을 위한 환경 조성)→**평가**(학생의 수행능력에 관한 자료 조사)

심화문제

05 장애인에게 신체활동을 지도할 때 효과적인 순환체계를 그림으로 표시한 것이다. ( ) 안에 들어갈 것을 차례로 잘 짝지은 것은?

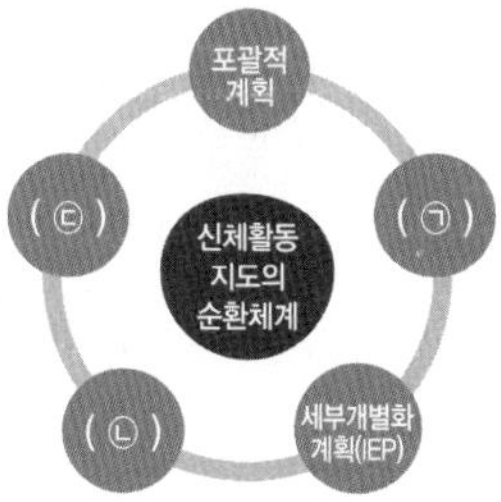

① ㉠ 사정 및 배치 ㉡ 지도 및 상담 ㉢ 평가
② ㉠ 평가 ㉡ 지도 및 상담 ㉢ 사정 및 배치
③ ㉠ 지도 및 상담 ㉡ 사정 및 배치 ㉢ 평가
④ ㉠ 지도 및 상담 ㉡ 평가 ㉢ 사정 및 배치

■ **장애인 신체활동 지도 시의 순환체계**
계획→사정 및 배치→개별화계획→지도와 상담→평가

필수문제

06 사정(assessment)에 관한 설명으로 가장 옳은 것은?

① 배치, 프로그램 계획 등에 관한 의사결정을 목적으로 한 자료 수집과 해석의 과정이다.
② 체계적인 관찰과 특정 도구 혹은 절차를 이용하여 자료를 수집하는 과정이다.
③ 미리 설정된 표준과 비교하여 측정치의 결과를 해석하는 과정이다.
④ 간단한 평가를 통하여 심화평가 의뢰 여부를 결정하는 과정이다.

■ 사정은 평가와 측정의 중간 개념으로, 교육에 관련된 의사결정에 필요한 자료의 수집과 해석 과정이다. ②는 측정을 설명한 것이고, ③은 준거지향검사의 설명이다.

정답 04 : ①, 05 : ①, 06 : ①

심화문제

07 지도프로그램을 효과적으로 실행하기 위한 사정의 단계가 올바르게 나열된 것은?

■ 가르칠 학생을 뽑아서 어느 정도의 능력이 있는지 알아본 다음 적절한 교육을 시켜서 그 결과를 평가해야 한다.

① 선발을 위한 사정 – 진단을 위한 사정 – 평가를 위한 사정
② 선발을 위한 사정 – 평가를 위한 사정 – 진단을 위한 사정
③ 진단을 위한 사정 – 선발을 위한 사정 – 평가를 위한 사정
④ 진단을 위한 사정 – 평가를 위한 사정 – 선발을 위한 사정

필수문제

08 보기와 같은 평가 방법은?

■ **생태학적 평가** : 아동과 환경의 상호작용에 의하여 끊임없이 역동적으로 변화하는 환경 내에서 바람직한 성과를 거두기 위해 요구되는 행동과 기술을 정의·분석하는 것.
■ **루브릭** : 학습자가 과제를 수행할 때 나타내는 반응의 평가 기준 집합.
■ **포트폴리오** : 자신의 실력을 보여줄 수 있는 작품 등을 집약한 자료수집철.
■ **규준참조평가** : 한 아동이 받은 점수가 다른 아동들이 받은 점수에 따라 상대적으로 결정하는 평가방식

보기

환경	잠실실내수영장	과제	비어 있는 사물함 찾기
세부환경	탈의실	수행자	지적장애인

관찰 내용	반응평가	
	O	X
1. 탈의실 출입문을 찾아서 들어간다.	✓	
2. 문이 열려 있는 사물함을 찾는다.		✓
3. 다른 사람이 찾는 것을 보고 문이 열려 있는 사물함을 찾는다.	✓	
4. 문이 열린 사물함으로 다가간다.	✓	
5. 사물함이 비어 있는 것을 확인한다.		✓

평가결과 :
1. 탈의실 출입문을 찾을 수 있다.
2. 문이 열려 있는 사물함을 찾아야 한다는 과제를 이해하지 못하고 있다.
3. 타인의 행동과 주변 환경에 대한 관찰을 통해서 문이 열려 있는 사물함을 찾을 수 있다.
4. 문이 열린 사물함으로 다가갈 수 있다.
5. 사물함이 비어 있는지 확인해야 한다는 것을 이해하지 못하고 있다.

① 루브릭 ② 생태학적 평가 ③ 포트폴리오 ④ 규준참조평가

필수문제

09 다음 중 기술통계에서 사용하는 통계적 척도로 장애인의 운동수행을 측정하고 평가하는 것은?

■ 학습자 평가 결과를 그가 속한 집단 내에서 상대적인 위치로 나타내는 평가방법은 규준지향검사이다.

① 준거지향검사 ② 규준지향검사
③ 내용지향검사 ④ 포트폴리오검사

정답 07 : ①, 08 : ②, 09 : ②

10 다음 중 임의적으로 설정한 등급이나 수준으로 측정하는 것은?

① 준거지향검사 ② 규준지향검사
③ 내용지향검사 ④ 포트폴리오검사

■ 준거지향 검사(p. 23) 참조.

필수문제

11 평가도구와 목적을 바르게 연결한 것은?

① PDMS - 2 : 성인기 대근 및 소근 운동 기능 평가
② TGMD - 2 : 신체, 언어, 인지 기능 평가
③ BPFT : 운동수행력과 적응행동 평가
④ PAPS - D : 장애유형을 고려한 장애학생 체력 평가

■ PDMS-2(Peabody Developmental Motor Scales-2) : 취학 전 아동의 대근육과 소근육의 기능을 평가 · 측정 · 훈련하는 도구. 반사행동, 정지동작(균형), 조작능력, 악력, 시각, 근육의 협응력 등의 측정.
■ TGMD-2(Test of Gross Motor Development-2) : 3~10세 장애 및 비장애아동의 동작 정확성과 숙련도 평가.
■ BPFT(Brockport Physical Fitness Test) : 10~17세 장애 및 비장애아동의 장애유형과 정도에 따른 건강관련 체력 검사.
■ PAPS-D(Physical Activity Promotion System-D) : 장애학생 건강관련 체력 평가.

심화문제

12 보기의 (가)는 장애학생 건강체력평가(Physical Activity Promotion System for Students with Disabilities : PAPS-D) 중 휠체어 오래달리기의 검사결과이다. (나)의 최소건강기준표와 비교하여 알 수 있는 정보는?

보기

(가) 검사결과

- 학년 및 성별 : 중학교 3학년 남학생
- 장애유형 : 척수장애
- 검사종목 : 휠체어 오래달리기
- 검사결과 : 1,120초 / 1,000m

(나) 휠체어 오래달리기 최소건강기준표

학년	남자	여자
중3	1,000초	1,000초

① 근기능 수준이 최소건강기준에 미치지 못한다.
② 심폐기능 수준이 최소건강기준에 미치지 못한다.
③ 유연성 수준이 최소건강기준에 미치지 못한다.
④ 순발력 수준이 최소건강기준에 미치지 못한다.

■ 오래달리기는 심폐기능 수준을 뜻하는데, 최소건강기준표는 1,000초이지만 이 학생은 1,120초가 걸렸으므로 심폐기능 수준이 낮다.

정답 10 : ①, 11 : ④, 12 : ②

필수문제

13 보기에서 설명하는 양호도는?

> 보기
> 새롭게 개발된 대근 운동발달 수준 측정 도구의 타당도를 확보하기 위해 TGMD-2와 비교 검증하였다.

① 준거타당도(criterion-referenced validity)
② 구성타당도(construct validity)
③ 내용타당도(content validity)
④ 안면타당도(face validity)

■ TGMD는 대근육운동능력을 측정하는 검사도구임.

■ 양호도(usability) : 타당도, 신뢰도, 실용도를 합친 것.
■ 준거타당도 : 검사도구의 측정결과가 준거가 되는 다른 측정결과와 관련이 있는 정도.
■ 구성타당도 : 검사도구가 구성 개념을 실제로 적정하게 측정했는지의 정도를 나타내는 것.
■ 내용타당도 : 검사문항이 측정하려는 내용을 얼마나 잘 대표하고 있는지를 나타내는 것.
■ 안면타당도 : 친숙한 정도, 즉 측정하려는 문항이 자주 접해 본 적이 있는지를 나타내는 것.

심화문제

14 국내에서 개발된 장애인 건강체력 검사도구는?

① BPFT ② TGMD-2 ③ PAPS-D ④ Fitnessgram

■ BPFT(브록포트건강체력검사) : 미국 뉴욕주립 대학교의 브록포트칼리지에서 개발
■ TGMD-2(대근육발달검사) : 미국 미시건 대학에서 개발
■ PAPS-D(장애학생 건강체력검사시스템) : 우리나라에서 개발된 검사시스템
■ Fitnessgram(피트니스그램) : 캘리포니아 교육부의 체력검사 프로그램

필수문제

15 브록포트체력검사(BPFT)에 대한 설명이다. 틀린 것은?

① 브록포트대학에서 10~17세의 척수장애, 뇌성마비, 절단장애, 지적장애, 시각장애 및 비 장애아동을 대상으로 실시한 건강관련 체력검사이다.
② 심폐지구력(4종목), 근력 및 근지구력(16종목), 유연성(5종목), 체성분(2종목)으로 구성되어 있다.
③ 장애학생과 비 장애학생을 함께 검사할 수 있다.
④ 건강체력 수준을 준거지향적으로 해석한다.
⑤ 측정종목이 너무 많아서 실시하기 어렵다.

■ 브록포트체력검사(BPFT)는 다양한 측정종목 중에서 분야별로 1종목만 측정하면 되기 때문에 장애유형별 특성을 고려해서 각기 다른 종목으로 측정할 수 있다는 장점이 있다.

심화문제

16 다음 중 BPFT 체력검사의 검사요인이 아닌 것은?

① 심폐지구력 ② 근력 및 근지구력 ③ 안정성 ④ 유연성

■ BPFT(브록포트건강체력검사)는 근력과 근지구력, 유산소성 기능(심폐지구력), 유연성을 평가한다.

정답 13 : ①, 14 : ③, 15 : ⑤, 16 : ③

17 **브록포트 체력검사(Brockport Physical Fitness Test : BPFT)의 설명으로 옳은 것은?**

① 대근운동기술을 측정한다.
② 동일 체력요인을 장애유형에 따라 다른 검사로 측정할 수 있다.
③ 건강체력과 운동기술체력을 동시에 검사한다.
④ 통합체육 상황에서는 적용할 수 없다.

■①, ③, ④는 TGMD(대근육운동발달검사)에 대한 설명이다.

18 **다음의 특수체육 검사도구 중에서 측정영역이 다른 것은?**

① 장애학생 건강체력 검사(PAPS-D)
② 운동발달 체크리스트(Motor Development Checklist : MDC)
③ 대근운동발달 검사(Test of Gross Motor Development : TGMD)
④ 피바디운동발달 검사(Peabody Develop-mental Motor Scale : PDMC)

■②, ③, ④는 장애학생과 비장애학생 모두를 대상으로 측정할 수 있다.

필수문제

19 **보기의 대근운동발달검사-Ⅱ(Test of Gross Motor Development-Ⅱ : TGMD-Ⅱ)에 대한 설명 중 옳은 것으로 묶인 것은?**

보기
㉠ 4~12세 아동의 대근운동발달 수준을 검사하는 표준화된 평가도구이다.
㉡ 조작운동기술 점수는 남녀의 발달 차이를 고려하여 각각 다른 규준을 적용한다.
㉢ 각 과제마다 2회를 시행하고 점수를 합산하여 항목별 점수를 산출한다.
㉣ 영역별 원점수의 평균을 구해 표준 점수와 백분율 점수를 얻을 수 있다.
㉤ 규준참조검사와 준거참조검사 방식을 모두 적용한다.

① ㉠, ㉡, ㉣　　② ㉡, ㉢, ㉤
③ ㉡, ㉢, ㉣　　④ ㉠, ㉣, ㉤

■㉠ 3~10세의 장애아동과 비장애아동을 대상으로 검사를 실시함. ㉣ 원점수를 준거지향 평가의 결과로 변환해서 나온 점수는 규준지향 평가의 결과로 사용할 수 있다.

심화문제

20 **장애인을 대상으로 하는 검사도구 중에서 대근 운동능력 측정(TGMD)에 대한 설명이다. 틀린 것은?**

① 이동기술 7종목과 물체 조작기술 5종목으로 구성되어 있다.
② 3~10세 아동의 대근 운동기술을 측정한다.
③ 원점수를 부여하기 위해서 동작의 수행 여부와 동작의 정확성을 관찰한 것을 준거지향적 의미로 사용할 수 있다.
④ 원점수를 표준화점수로 변환한 것은 규준지향적 의미로 사용하기 위해서이다.
⑤ 대근 운동능력의 발달은 아동들의 발달연령과 관련이 없다.

■대근 운동능력은 아동의 발달연령과 밀접한 관계가 있기 때문에 사정도구로 사용한다.

정답 17 : ②, 18 : ①, 19 : ②, 20 : ⑤

■ **생태학적 과제분석** : 운동기술, 움직임과 함께 학생의 특성과 선호도, 운동기술이나 움직임의 수행에 영향을 줄 수 있는 환경요소를 고려하는 것

■ **생체역학적 과제분석** : 생체시스템을 알고 역학적 원리를 활용하여 근육의 운동과 관절에 작용하는 힘이 어떻게 나타나는지를 분석하는 것

■ **발달적 과제분석** : 신체의 성숙, 개인적인 노력, 사회적 기대 등을 기초로 삶의 어떤 시점에서 개인이 획득해야 하는 지식 · 태도 · 기능 · 기술을 분석하는 것

■ **전통적 과제분석** : 목표과제를 시작단계부터 최종단계까지 세부적으로 구분하여 과제를 쉬운 단계부터 어려운 단계로 제시하는 것

필수문제

21 다음 표에서 적용된 과제분석 유형은?

단계	적용 내용
대상	오른팔에 절단이 있는 중학교 3학년 남학생
과제	폭이 6m인 수영장에서 독립적으로 수영을 한다. 발차기, 횡영(sidestroke), 돌핀킥(dolphin kick)을 한다.
준거	질적 준거: 스트로크의 효율성과 정확성 양적 준거: 속도, 이동 거리, 공간 정확성, 시간 정확성
변형	과제변인 : 부유기구 사용, 이동 거리, 이동 시간 환경변인 : 물의 깊이, 레인의 폭, 동료의 수
지도	개별적인 촉진(prompt)이나 강화, 필요한 경우 교정 피드백 등을 활용한 직접 교수(direct instruction)

① 생체역학적 과제분석(biomechanical task analysis)
② 생태학적 과제분석(ecological task analysis)
③ 발달적 과제분석(developmental task analysis)
④ 전통적 과제분석(task analysis)

■ **생태학적 과제분석의 절차**
과제목표 확인→변인 선택→관련된 변인 조작→지도

심화문제

22 데이비스와 버튼(W. Davis & A. Burton, 1991)이 제시한 생태학적 과제분석의 실행 과정을 순서대로 나열한 것은?

① 변인 선택 → 관련 변인 조작 → 과제 목표 → 지도
② 과제 목표 → 관련 변인 조작 → 변인 선택 → 지도
③ 변인 선택 → 과제 목표 → 관련 변인 조작 → 지도
④ 과제 목표 → 변인 선택 → 관련 변인 조작 → 지도

정답 21 : ②, 22 : ④

필수문제

23 보기의 세부내용을 설명하는 용어는?

보기

프로그램	휠체어테니스교실	대상	지체장애인
내용	백 핸드 스트로크		
세부내용	1. 수행이 이루어지는 동안 계속해서 공을 본다. 2. 풋워크를 통해 재빨리 공에 접근한다. 3. 라켓을 몸 중심에서 뒤로 가져간다(백스윙). 4. 엉덩이와 어깨를 네트와 수직으로 위치시킨다. 5. 공을 칠 때 엉덩이와 어깨를 회전시키면서 무게중심을 앞발로 옮긴다. 6. 공이 엉덩이 앞쪽에 올 때 공을 친다. 7. 공을 칠 때 손목을 고정시킨다. 8. 반대쪽 팔은 중심을 잡기 위해 몸 바깥쪽으로 뻗는다. 9. 팔로우 스루를 어깨높이나 그 이상에서 계속 해서 유지한다.		

① 준거참조평가 ② 근거기반실무
③ 과제분석 ④ 과정중심평가

■ 과제분석은 학생이 수행해야 할 과제를 더 단순한 하위 과제로 분할하는 것이다. 모든 과제는 더 세분화된 하위과제로 나눌 수 있으며, 하위과제들을 익히면 목표로 하는 학습과정에 도달할 수 있다.

심화문제

24 휠체어농구 기술수행 검사의 타당성과 관련한 내용으로 옳은 것은?

① 최소의 시간과 비용으로 측정할 수 있는가?
② 여러 사람이 측정하여도 그 결과가 같은가?
③ 휠체어 조작 기술과 농구 기술을 정확하게 측정할 수 있는가?
④ 검사를 두 번 반복하였을 때에도 그 결과가 일치하는가?

■ 검사란 체계적인 관찰과 같은 측정 도구와 절차를 활용하여 자료를 수집하는 기술인데, 휠체어농구 기술수행 검사의 점수는 지도자가 선수 각자의 요구에 맞는 의사결정을 할 때 사용한다.

25 특수체육에서 시행하는 측정평가의 목적이 아닌 것은?

① 수행하고자 하는 특정 프로그램의 타당성을 제공한다.
② 개개인이 갖고 있는 강점만을 파악한다.
③ 성장, 발달, 교과지도에 관한 기록을 만든다.
④ 실행해야 할 교과내용과 이에 관한 보조자료를 파악한다.

■ 강점만을 파악하려고 하는 측정평가는 없다.

정답 23 : ③, 24 : ③, 25 : ②

■ 유사활동 중심 과제분석
· 목표를 달성하기 위해 다양한 활동이 필요할 때 활용한다.
· 유사한 과제들로 구성한 목표를 덜성하게 한다.
■ 생태학적 과제분석 : 개인별 특성, 수업환경, 활동과제 등을 참작하여 요인별로 동등한 부하를 주는 것.
■ 영역중심 과제분석 : 경기나 게임과 같은 과제를 활동할 때 영역분류를 넓혀 분석하는 것.
■ 동작 중심 과제분석 : 동작의 질적 향상을 목적으로 분석하는 것.

필수문제

26 보기에서 상지의 근력 및 근지구력 향상을 위한 프로그램에 적용한 과제분석 방법은?

보기
» 1과제 : 누워서 양팔 굽혔다 펴기
» 2과제 : 누워서 양손으로 큰 공 잡고 굽혔다 펴기
» 3과제 : 서서 양손 벽에 대고 팔 굽혔다 펴기
» 4과제 : 서서 양손으로 아령 들고 올렸다 내리기
» 5과제 : 바닥에 무릎 대고 팔 굽혔다 펴기

① 생태학적 과제분석
② 영역 중심 과제분석
③ 동작 중심 과제분석
④ 유사활동 중심 과제분석

심화문제

■ 과제목표를 확인했으면 그 목표를 달성할 수 있는 지도방법을 선택해야 하고, 지도방법을 대상학생(장애인)에게 알맞도록 조작한 다음 실제로 지도해야 한다.

27 기능적 움직임의 생태학적 과제분석 모형 4단계가 순서대로 연결된 것은?

① 과제목표의 확인→선택→조작→지도
② 과제목표의 확인→선택→지도→조작
③ 과제목표의 확인→지도→조작→선택
④ 과제목표의 확인→조작→선택→지도

■ 과제분석은 학생의 학업성취도 또는 교사의 교수효과성에 대한 세밀한 피드백으로 사용할 수 있다.

28 과제분석에 대한 설명이다. 잘못 설명한 것은?

① 모든 과제는 더 세분화된 하위과제로 쪼갤 수 있으며, 하위과제들을 누적하여 익히면 목표에 도달할 수 있다는 가정 하에 과제분석을 한다.
② 일반학생에게는 아주 쉬운 과제도 장애학생에게는 어려운 과제로 여겨질 수 있기 때문에 과제를 작게 나누어야 할 필요성이 생긴다.
③ 학습과제를 논리적인 순서로 지도할 수 있도록 교육계획을 수립할 때 활용할 수 있다.
④ 단번에 학습하기 어려운 과제를 점진적으로 학습할 수 있게 할 때 활용할 수도 있다.
⑤ 단계적으로 나누기 곤란한 학습과제에는 적용하기 어렵다.
⑥ 학생의 학업성취도 또는 교사의 교수효과성에 대한 피드백으로 사용하기 어렵다.

정답 26 : ④, 27 : ①, 28 : ⑥

29 생태학적 과제분석(ecological task analysis)의 3대 구성요소가 아닌 것은?

① 수행자
② 수행환경
③ 수행평가자
④ 수행과제

■ 생태학적 과제 분석에서는 운동기술 · 움직임(수행과제)과 더불어 학생(수행자)의 특성과 선호도, 운동기술이나 움직임의 수행에 영향을 줄 수 있는 환경(수행과제) 요소를 고려해야 한다.

30 과제 분석에 대한 설명으로 옳은 것은?

① 장애인의 개인차를 고려하여 교육내용을 변형하고 학습활동을 계획하는 활동이다.
② 특정 과제를 지도하기 위해 과제를 세부적으로 나누는 활동이다.
③ 서로 다른 학습과제를 연습하도록 수업환경을 조직하는 활동이다.
④ 수행능력과 목표행동의 두 요소를 명확히 진술하는 활동이다.

■ ①은 개별화교육이다.

정답 29 : ③, 30 : ②

03 Chapter 특수체육의 지도전략

개별화교육 프로그램의 적용

우리나라의 장애인 등에 관한 특수교육법에서 정하고 있는 개별화교육 프로그램 (IEP)에 대한 내용을 요약하면 다음과 같다.

☞ 특수교육 대상자의 교육적 요구에 적합한 교육을 제공하기 위하여 보호자, 특수교사, 일반교사, 진로 및 직업교육 담당교사, 특수교육 관련 서비스 담당자 등으로 개별화교육 지원팀을 구성한다.

☞ 개별화교육 대상자의 학업성취도 평가를 매 학기마다 실시하고, 그 결과를 특수교육 대상자 또는 그 보호자에게 통보해야 한다.

1 IEP 작성의 목적

☞ 특수교육 대상자의 능력과 특성에 따라 적절한 지도를 한다.

☞ 가정, 학교, 체육센터 등 유관기관 간의 의사소통 · 협력 · 지원에 도움이 된다.

☞ 평가도구의 역할을 한다.

2 IEP의 구성요소

개별화교육 프로그램 계획에 반드시 포함되어야 하는 내용을 말한다.

- ⓐ 특수교육 대상자의 인적 사항
- ⓐ 특별한 교육지원이 필요한 영역의 현재 학습수행 수준
- ⓐ 연간 교육목표와 함께 단기목표
- ⓐ 교육내용
- ⓐ 교육방법
- ⓐ 일반교육 프로그램에 참여할 수 있는 정도
- ⓐ 평가계획
- ⓐ 제공할 특수교육 관련 서비스의 내용과 방법
- ⓐ 특수교육이 종료된 다음 전환계획
- ⓐ 시작과 종결 시기

3 IEP의 목표 진술 3요소

조건	물리적 환경(도구, 시설 등)과 심리적 조건을 포함하여 6하 원칙에 해당하는 조건 선택.
기준	행동의 지속성과 정확성을 규정하는 것을 동작 수행을 위한 질의 기준으로 설정.
행동	수행의 최종 결과인 신체적 움직임으로, 객관적으로 측정 · 관찰할 수 있어야 함.

※ 출처 : 최승권(2018). 특수체육론. p.159에서 수정 게재.

4 IEP의 기능 및 절차

기 능	관리 · 점검 · 평가를 위한 도구, 의사소통 수단
절 차	준비 → 진단 및 평가 → 사정 → 계획 → 지도 → 평가

5 IEP의 지도전략

또래교수	교사가 장애학생을 지도할 때 학생을 보조교사로 활용하는 것. 동급생, 상급생, 상호(양방), 일방, 전 학급 또래교수가 있다.
팀교수	두 명의 교사가 협력하여 수업을 진행하는 것.
스테이션 교수	한 학급을 소규모집단으로 분류하여 기술연습을 할 수 있도록 각 스테이션을 구성해 순환하는 형식으로 진행하는 수업형태
협동학습	학생들끼리 팀이나 소집단을 구성하여 함께 학습하는 수업형태
역주류화 수업	비장애학생이 장애학생과 수업에 함께 참여하는 것.

6 IEP 작성 시 고려사항

- 1 : 1로 작성
- 장애학생에게 필요한 운동 찾기
- 부모의 서면 동의
- 장기목표와 단기목표 설정
- 장애학생의 장점 찾기

활동 변형

장애학생의 신체적 · 정신적 발달특성에 맞는 신체활동을 제공하기 위해서 활동의 내용 및 환경 요소를 변형시키는 것이다. 활동변형 시에는 다음 사항을 고려한다.

- ☞ 최소한의 규칙만을 사용한다.
- ☞ 참여를 극대화하는 방향으로 변형한다.
- ☞ 해당 스포츠활동의 본질적인 특성을 가능한 한 살린다.
- ☞ 반드시 필요한 경우에만 활동 변형을 한다.

1 변형의 대상

체육시설과 환경의 변형	접근성, 안전성, 흥미성, 효율성 등을 고려해야 한다.
용기구의 변형	장애의 유형과 정도, 학생의 체력수준, 운동기능 등을 고려하여 스포츠용 · 기구를 변형시키는 것이다.
규칙의 변형	한 팀의 인원, 경기시간, 경기규칙 등을 변형하는 것이다.

2 장애유형별 변형

- ☞ 지체장애인들은 신체활동에 많은 제약이 있으므로 활동 변형을 하려면 먼저 보조기구에 대하여 잘 이해하고 있어야 한다.
- ☞ 지적장애인들은 시설 및 환경, 용 · 기구, 규칙 등을 거의 모두 변형시켜야 한다.
- ☞ 자폐성장애인은 공격적인 행동, 부적절한 언어, 사회적 상호작용과 인지능력의 부족 등의 문제를 가지고 있다. 경쟁을 시키지 말고, 보조지도자를 충분히 확보해야 한다.
- ☞ 시각장애인들은 이동과 방향 탐색에 어려움이 많으므로 청각과 촉각을 십분 활용해야 한다.

- ☞ 청각장애인들은 평형감각, 방향감각, 그리고 협응능력에 문제가 있으므로, 언어적 지도보다는 시범을 통해서 지도하고, 손짓 · 전등 · 깃발 등 약속된 신호를 정해야 한다. 지도자는 수화 · 구화 등 기본적인 능력을 갖추어야 한다.

수업스타일 및 지도방식

수업형태–수업스타일–지도방식은 모두 "수업활동이 전개되어 가는 과정에서 교사와 학생 간에 일어나는 활동관계"를 나타내는 용어이므로 혼용해도 된다. 수업형태를 분류하는 방법에 따라 다음과 같은 수업형태들이 있다.

- ☞ 교사와 학생 중 누가 주도적으로 수업을 이끌어 나가느냐에 따라 '교사중심 수업과 학생중심 수업'으로 나눈다. 교사중심 수업에는 주입식 수업, 설명식 수업, 강의식 수업 등이 있고, 학생중심 수업에는 토의식 수업, 발견식 수업, 탐구식 수업 등이 있다.
- ☞ 교사와 보조교사의 수에 따라 단독수업과 팀티칭(team teaching)으로 나눈다.
- ☞ 교육 대상자 가운데서 함께 학습활동을 하는 집단의 크기에 따라 '일제수업, 분단수업, 개별수업'으로 나누고, 분단수업은 소그룹 수업과 대그룹 수업으로 나눈다.
- ☞ 학생과 교사의 사고활동(思考活動)에 따라 문답식 수업, 문제해결식 수업, 토의식 수업, 발견식 수업 등으로 나눈다.
- ☞ 체육수업에서 인간의 운동발달을 보는 관점에 따라서 '기능적 접근과 발달적 접근'으로 나눈다.
- ☞ 체육수업에서 표현방법에 따라서 모방학습, 신체표현학습, 놀이학습, 창작학습 등으로 나눈다.
- ☞ 작업방법에 따라 조사학습, 실험실습, 연습과 복습 등으로 나눈다.

위에 있는 수업형태의 분류는 어느 것이 상위 분류체계이고 어느 것이 하위 분류체계라는 구분이 없으므로 일부 수업형태만을 골라서 간단히 설명하기로 한다.

1 교사중심 수업

- ☞ 수업내용, 수업방법, 수업진도 등을 모두 교사가 결정한다.
- ☞ 수업진행이 빠르고, 계획대로 추진해 나갈 수 있으며, 가르칠 내용을 빠짐없이 가르칠 수 있다는 것이 장점이다.
- ☞ 학생들의 자발적인 학습활동을 기대하기 어렵고, 수업이 획일적으로 진행되기 때문에 학생들의 개인차를 극복하기 어려우며, 교사의 능력에 따라 교육의 성패가 좌우된다는 것이 단점이다.

2 학생중심 수업

- ☞ 수업내용, 수업방법, 수업진도 등이 학생의 욕구와 흥미에 따라 선정되고 변경된다.
- ☞ 교사는 상담자, 정보제공자, 안내자의 역할을 한다.
- ☞ 학생의 능력이나 기량의 향상보다는 참여 자체의 즐거움과 학생의 인지적 · 정의적 발달에 더 관심이 있다.

3 토의식 수업

☞ 학생들 간의 상호작용을 통하여 정보와 의견을 교환하고 결론을 이끌어내는 형태의 수업 방법이다.

☞ 학생들이 적극적으로 참여해야 효과를 올릴 수 있다.

☞ 민주적 시민으로서 필요한 사회적 태도 및 기능을 키울 수 있는 수업방식이다.

4 발견 학습

☞ 학생이 스스로 학습목표에 도달할 수 있도록 교사가 학습환경을 조성해 주는 학습형태이다.

☞ 학습자의 탐구능력과 자발적인 학습의욕을 신장시키는 것이 목표이다.

☞ 과제의 파악과 과제 해결을 위한 가설의 설정, 가설의 검증, 적용의 단계로 학습이 이루어진다.

5 문제해결 학습

☞ 이전에 학습했던 내용이나 기술을 활용하여 주어진 과제를 학생들이 해결토록 하는 수업 형태이다. 문제해결 학습에서는 전에 학습한 내용이나 기술을 사용하여 문제를 해결하는 것이고, 발견 학습은 내용 및 기술을 배워나가는 것이다.

☞ 학생들은 문제해결 과정을 통해서 보다 높은 수준의 인지능력을 습득할 수 있고, 관련 내용 지식, 협동학습 능력, 문제해결 능력, 의사소통 능력 등을 습득할 수 있게 된다.

6 개별화 교수

☞ 학습자 개개인의 개별적인 독특성을 최대한 존중하면서 학습자의 능력을 개발 · 신장시키는 데 목적이 있다.

☞ 학습자의 흥미, 경험, 능력, 욕구 등이 우선적으로 고려되고, 그에 따라서 교수의 내용 및 방법이 정해지게 된다.

☞ 수업의 과정에서 교사로부터 학습에 관련된 다양한 학습 정보들을 제공받고, 주어진 문제를 학습자 스스로 해결해 나가려는 능동적이고 자발적인 학습활동이 중요하다.

7 기능적 접근과 발달적 접근

☞ 체육수업에서 기술 동작을 가르칠 때 전체동작을 먼저 가르치고 세부동작을 나중에 가르치는 것을 기능적 접근 또는 하향식 접근이라 하고,

☞ 세부동작을 먼저 가르치고 그것들을 조합하면 전체동작이 되는 식으로 가르치는 것을 발달적 접근 또는 상향식 접근이라고 한다.

행동관리

학생이 표출하는 행동이 상황에 맞지 않거나, 부적응이거나, 자신이나 타인에게 위협을 가하는 행동이면 그것을 문제행동이라 한다.

학생이 문제행동을 일으켰을 때 교사가 그 학생에게 벌을 주는 것, 문제행동을 못하게 제지하

거나 예방하는 것, 문제행동을 덜 하고 바람직한 행동을 하도록 유도하는 것을 모두 합쳐서 행동관리라고 한다.

행동수정은 처벌 중심적인 용어이고, 행동관리는 개인의 욕구와 필요성을 인정하면서 문제를 해결하고자 하는 인본 중심적이라는 차이가 있다.

1 문제행동을 일으키는 목적

⊗ 교사나 부모의 관심을 끌기 위해서
⊗ 과제나 자극을 피하려고
⊗ 원하는 물건을 얻거나 원하는 행동을 할 수 있는 기회를 잡으려고
⊗ 자기 자신의 각성 수준 또는 에너지 수준을 조절하려고
⊗ 단순한 재미로(놀이나 오락으로)

2 문제행동의 유형

공격 행동, 자기자극 행동, 방해 행동, 주의산만 행동, 성적 행동, 위축 행동, 위협 행동, 파괴 행동 등이 있다.

3 행동관리의 기본원리

아동이 한 문제 행동은 아동의 과거 경험이나 잘못된 강화에 의해서 학습된 것이므로, 환경을 다시 구성하거나 강화를 통해서 문제행동을 감소시킬 수 있다는 것이 행동관리의 기본 원리이다. 행동관리를 할 수 있는 방법에는

☞ 정적 강화를 제공하여 바람직한 행동의 발생을 증가시키거나
☞ 과거의 잘못된 강화를 제거하여 문제행동의 발생빈도를 줄이거나
☞ 부적 강화를 제공함으로써 문제행동의 발생을 억제하는 방법 등이 있다.

4 행동관리의 절차

1. 문제행동 파악
2. 발생빈도, 기간, 유형 등의 자료 파악
3. 적절한 행동관리 방법 선정
4. 효과적인 강화물의 조사와 선정
5. 행동관리 시작
6. 행동관리 시행에 따른 효과의 관찰과 기록
7. 행동관리법에 사용된 강화물을 점차적으로 줄여나감

5 행동관리 시 주의할 점

☞ 교사의 행동에 일관성이 있어야 하고, 애매모호한 태도를 보이지 말 것.

☞ 학생이 무엇을 잘못했는지를 먼저 이해시켜야 한다.
☞ 같은 잘못이면 누구나 같은 처벌을 한다.
☞ 잘못했다고 해서 비난하거나 빈정대면 안 된다.
☞ 체벌하거나 위협하지 말 것.
☞ 운동을 벌로 이용하지 말 것.
☞ 반복적으로 잘못할수록 더 정확하게 벌을 주어야 한다.
☞ 한 사람의 잘못을 이유로 전체 학생을 벌하지 말 것.

6 행동수정 기법

▶ 바람직한 행동의 유지 및 증가 기법

칭찬	바람직한 행동에 대하여 격려와 지지를 보낸다.
토큰(token)강화	토큰을 모았다가 원하는 것과 교환할 수 있도록 한다.
프리맥(Premack) 원리	바람직한 행동을 하면 좋아하는 것을 할 수 있게 해준다.
행동계약	지도자와 학생 또는 부모와 학생 사이에 계약서를 써서 서로 보관한다.
촉진	과제 수행을 부모나 지도자가 도와준다.
용암법(fading)	지원이나 도움을 점진적으로 제거한다.

▶ 문제행동의 제거 및 감소 기법

타임아웃 (time-out)	제외 · 고립 · 차단시켜서 문제행동을 관리하는 방법.
소거	문제행동의 원인 또는 강화를 제거하는 방법.
벌	야단치거나 벌을 주는 방법. 좋아하는 것을 못하게 하는 방법.
과잉교정	문제행동을 더 심하게 해서 스스로 잘못을 알게 하는 방법.
체계적 둔감법	대상에게서 느끼는 공포나 불안을 점차적으로 감소시키는 방법.
박탈	원하는 물건이나 강화를 박탈하거나 중지하는 방법.
포화	문제행동을 싫증날 때까지 반복시키는 방법.

발달의 원리

인간의 발달은 사람마다 그 정도가 다르지만, 발달의 변화는 체계적이고 규칙적이며 일관성이 있는 원리에 따라 진행된다.
☞ 발달에는 일정한 순서와 방향성이 있다.
☞ 발달은 연속적인 과정이며, 속도가 일정하지 않다.
☞ 유전적 요인과 환경의 상호작용으로 진행된다.
☞ 발달은 보편적인 성장의 과정을 거치지만 개인차도 있다.

☞ 발달은 점진적으로 분화해가고 전체로 통합되어가는 과정이다.
☞ 먼저 발달한 부분을 기초로 다음 발달이 이루어진다.
☞ 신체 및 심리 발달이 가장 용이하게 이루어지는 결정적 시기 혹은 최적의 시기가 있다.
☞ 어릴 때의 발달이 이후 모든 발달의 기초가 된다.
☞ 특정 시기의 발달이 잘못되면 원래의 발달 상태로 회복되지 않는다.
☞ 어떤 시기의 발달결손은 계속 누적되어 다음 단계에 영향을 미친다.

장애아동의 운동발달

운동발달 시기별로 다음과 같은 증상을 보이면 장애를 의심해 보아야 한다. 이때 가능한 한 정확한 중재적 조치를 빠른 시기에 취해야 장애 정도를 최소화할 수 있다.

반사 운동기	반사반응이 없거나, 약하거나, 비대칭이거나, 없어져야 할 반사운동이 계속해서 남아 있다.
기초 운동기	중추신경 장애, 정신 장애, 정형외과적 장애 등으로 수의적 움직임의 초기 단계에 운동발달이 저해되거나 지각손상으로 발달이 안 된다.
기본 운동기	움직임이 정교해질수록 비장애아동과 발달의 차이가 현저하게 나타난다.
전문화 운동기	이 시기에 장애인의 운동기능을 향상시키면 자립심과 자존감의 향상에 큰 도움이 된다.

장애인 체력 측정 시 유의점

장애인은 비장애인에 비하여 체력이 저하되어 있고, 비장애인과 똑같은 방법으로 체력을 측정하기 어려우므로 다음과 같은 원칙을 지키면서 창의적인 방법으로 측정한다.
☞ 개인의 가능성과 장점을 찾기 위한 측정을 할 것.
☞ 체력 요소별로 다양한 측정방법을 준비할 것.
☞ 측정기구나 측정방법을 변형해서 측정해야 하는 경우가 많다.
☞ 비장애인의 체력기준을 그대로 적용하면 0점이 나올 수도 있다. 그러나 어떤 경우에도 영점(0점)이 나오면 안 된다.
☞ 규준지향 검사보다는 준거지향 검사를 활용한다.
☞ 형태측정도 체력측정 요인 중의 하나이다.
☞ 신뢰도와 타당도를 확보할 수 있는 측정방법을 선택해야 한다.
☞ 개인의 향상 정도를 근거로 측정결과를 평가해야 한다.

체력육성의 기본원리

과부하의 원리	적정한 과부하로 기관이나 조직을 자극해야 발달이 이루어진다.
점진적 과부하의 원리	부하는 단계적으로 서서히 올려야 한다.

특이성의 원리	운동의 형태나 트레이닝 방법에 따라서 효과가 다르게 나타난다.
개별성의 원리	개인의 특성에 따라서 효과가 다르게 나타난다.
가역성의 원리	과부하가 주어지지 않거나 운동을 중지하면 체력이 빠르게 감소해서 운동하기 이전의 상태로 다시 돌아간다.

장애인 체력운동 시 고려해야 할 사항

장애인들은 장애의 정도를 최소화하기 위해서 끊임없이 체력운동을 해야 한다. 장애인들은 체력운동의 효과가 미미하지만, 운동을 게을리 해서 오는 신체기능의 퇴보는 굉장히 빨리 나타난다.

운동종목의 선정	운동 목적에 맞는 종목, 개인이 좋아하고 관심이 큰 종목, 접근이 쉬운 종목, 경제적인 부담이 적절한 종목을 선정해야 한다.
운동강도	개인의 능력에 맞게 운동강도 또는 운동횟수를 서서히 늘린다. ① 심박수로 운동강도를 설정하는 방법 • 최대심박수 = 220－나이 • 여유심박수 = 최대심박수 － 안정시심박수 • 운동 시 심박수 증가량 = 여유심박수 × 운동강도(%) • 목표심박수 = 안정시심박수 + 운동 시 심박수 증가량 ② 자각척도로 운동강도를 설정하는 방법 • 자신이 느끼는 운동강도를 자각척도라고 한다. • 자각척도에는 몹시 가볍다(6~7), 매우 가볍다(8~9), 적당히 가볍다(10~11), 다소 힘들다(12~13), 힘들다(14~15), 매우 힘들다(16~17), 몹시 힘들다(18~20) 등 7종류가 있다. • 보통 운동강도를 자각척도 12~16으로 설정한다.
운동시간	유산소운동을 하려면 적어도 20~30분 동안은 운동을 해야 한다. 그러나 장애인의 경우는 대부분 체력이 약하기 때문에 자주 쉬어야 한다.
운동빈도	개인의 체력과 신체 상태에 맞게 운동빈도와 운동시간을 조절한다. 근력운동은 주당 2회, 유산소운동은 3회 이상을 해야 효과를 기대할 수 있다.
운동기간	흥미를 상실하지 않고 지속적으로 오래 동안 운동을 수행할 수 있게 해야 한다.

장애인 스포츠활동의 효과(가치)

장애를 극복하는 데 스포츠만큼 중요하고 도움이 되는 것은 없다.

☞ 스포츠활동을 하면 체력요인들이 발달하고, 운동부족이 해소되어 성인병 예방에 효과가 있다. 이와 같은 효과는 비장애인보다 장애인이 스포츠활동을 했을 때 더 많이 얻을 수 있다.

☞ 장애인들은 스포츠활동을 하면 신체기능이 증진되고 운동기술이 향상된다.

☞ 스포츠활동을 통하여 본능적 욕구를 충족시켜 심리적 안정을 얻을 수 있고, 스트레스를 해소할 수 있다.

☞ 스포츠활동을 하면 다른 사람과 원만한 대인관계를 맺을 수 있는 등 사회적응에 크게 도움이 된다.

필수 및 심화 문제

필수문제

01 개별화 교육 프로그램(IEP)의 목표 진술 3요소가 아닌 것은?

① 조건(condition) ② 기준(criterion)
③ 행동(action) ④ 비용(cost)

■ IEP의 목표 진술 3요소 : 조건, 기준, 행동(p.38 참조)

심화문제

02 특수체육의 특성을 가장 잘 나타낸 것은?

① 특수한 체육
② 별난 체육
③ 개별화 교육 프로그램(IEP)
④ 별도의 체육

■ **개별화교육 프로그램**은 특수교육 대상자 각자의 능력 계발을 위해 장애유형 및 특성에 맞는 교육목표 · 교육방법 · 교육내용 · 특수교육 관련 서비스 등이 포함된 계획을 수립하여 실시하는 교육프로그램이다. 개별화교육프로그램(IEP : Individualized Educational Program)은 특수체육의 다른 이름이기도 하다.

03 개별화 교육계획에 대한 설명으로 가장 적절한 것은?

① 개별화 교육계획은 쉽게 말해 집단을 모둠화하여 지도하는 것만을 의미한다.
② 개별화 교육계획은 교육목표를 제시할 뿐 평가도구의 역할은 못한다.
③ 개별화 교육계획 작성 시 학부모의 의견은 포함시키지 않는다.
④ 개별화 프로그램은 필요에 따라 언제든지 수정 · 보완할 수 있다.

■ **개별화 교육계획** : 장애학생의 장애유형 및 특성을 고려하여 교육목표, 교육방법, 교육내용, 관련서비스 등이 포함된 계획을 수립하여 실시하는 교육.

04 개별화교육프로그램을 작성할 때 고려할 사항이 아닌 것은?

① 대상자의 인적 사항
② 세부동작을 고려한 전체동작의 지도
③ 적절한 지도 방법
④ 일반 체육활동의 규칙 · 기구 · 시설 등을 변형시켜야 하는 정도

■ IEP를 작성할 때는 대상자의 인적사항이 아니라, 현재의 능력수준과 교육할 내용을 반드시 고려해야 한다.

05 개별화교육프로그램(IEP)에 포함되지 않아도 되는 것은?

① 현재의 능력수준 ② 장단기 지도목표
③ 시작과 종결 시기 ④ 동작의 세부단계

■ 동작의 세부단계는 과제분석에 포함된다.

정답 01 : ④, 02 : ③, 03 : ④, 04 : ①, 05 : ④

필수문제

06 보기에서 설명하는 것은?

보기
» 과학적으로 반복 검증된 프로그램을 사용한다.
» 프로그램 효과에 대한 예측을 가능하게 한다.
» 프로그램 표준화에 대한 기초자료가 된다.

① 근거기반 프로그램(evidence-based program)
② 사례기반 프로그램(case-based program)
③ 과제지향 프로그램(task-oriented program)
④ 위기관리 프로그램(risk-management program)

■ **근거(증거)기반 프로그램** : 어떤 일이나 의논 · 의견의 근본에 기초를 둔 프로그램.
■ **사례기반 프로그램** : 실제로 발생한 일이나 상황에 기반을 둔 프로그램.
■ **과제지향 프로그램** : 집단성원의 활동이 집단의 목표 달성에 직접 관련되게 하는 프로그램.
■ **위기관리 프로그램** : 위기상황을 예방하고 그에 적절하게 대처해 나가는 프로그램.

심화문제

07 특수체육 지도의 효과를 증진시키기 위해 임상적 또는 학문적으로 검증된 프로그램이나 지도 전략을 적용하는 방법은?

① 불연속 교수(discrete teaching)
② 증거기반 교수(evidence-based practices)
③ 교류식 교수(reciprocal teaching)
④ 보편적 교수 설계(universal design for teaching)

■ 검증되었다는 것을 증거로 쓸 수 있다는 뜻이다.

08 개별화 교육 계획(IEP)을 작성하는 방법으로 적절하지 않은 것은?

① 현재 운동수행 수준을 정확히 파악하기 위해서는 실제 상황에서의 평가가 유용하다.
② 목표 진술에는 조건(condition), 기준(cri-terion), 행동(action)이 포함된다.
③ 학기말 평가에서는 표준화 검사를 이용하여 규준(norm)과 비교한다.
④ 지도에 필요한 용기구, 변형 방법, 관련 서비스, 보조인력의 활용 등을 명시한다.

■ 표준화 검사를 이용하여 규준과 비교하는 것은 IEP의 작성방법이 아니다.

09 개별화 교육 프로그램을 작성하는 목표 또는 역할이 아닌 것은?

① 개인의 능력과 특성에 따른 적절한 지도를 보장한다.
② 유관기관 간의 의사소통이나 연대에는 별 도움이 되지 않는다.
③ 참가자의 변화를 알아보는 평가도구 역할을 할 수 있다.
④ 교사, 부모, 물리치료사 등 당사자 간의 의견 차이를 좁힐 수 있는 기회가 된다.

■ 개별화교육 프로그램에서는 보호자, 특수교사 등으로 구성된 개별화교육 지원팀이 활동한다. 따라서 관련된 기관 간의 의사소통이나 연대에 도움이 된다.

정답 06 : ①, 07 : ②, 08 : ③, 09 : ②

10 개별화교육프로그램(IEP)의 법적 근거와 내용을 설명한 것이다. 틀린 것은?

① 미국의 '장애인교육법(IDEA)'과 우리나라의 '장애인 등에 관한 특수교육법'에서 명시하고 있는 교육방법이다.
② 각 급 학교의 장은 매년 초에 개별화교육계획을 작성해야 한다.
③ 개별화교육계획의 내용은 학교장의 재량에 맡긴다.
④ 학기마다 개별화교육 대상자의 학업성취도를 학생 또는 보호자에게 통보해야 한다.

■ 개별화교육계획에 포함되어야 할 내용도 법에 명시되어 있다.

11 개별화교육프로그램의 개발 절차를 간단히 나타낸 것이다. 옳은 것은?

① 의뢰 — 진단 및 평가 — 사정 — 실행 및 재검토
② 의뢰 — 사정 — 진단 및 평가 — 실행 및 재검토
③ 사정 — 진단 및 평가 — 의뢰 — 실행 및 재검토
④ 사정 — 진단 및 평가 — 실행 및 재검토 — 의뢰

■ IEP 개발절차
의뢰→진단 및 평가→사정→통보→실행→재검토

필수문제

12 보기에서 설명하는 지도 방법으로 가장 적절한 것은?

보기
㉠ 2가지 이상의 과제가 각기 다른 장소에서 동시에 진행되도록 학습 환경을 조성한다.
㉡ 학습자들을 소집단으로 나누어 협동학습을 진행할 수 있다.
㉢ 실제학습시간(Academic Learning Time : ALT)이 증가되는 장점이 있다.
㉣ 운동기능이 낮은 학습자가 지도자와 효과적으로 상호작용할 수 있는 환경을 만들 수 있다.

① 팀 교수(team teaching)
② 또래 교수(peer teaching)
③ 스테이션 교수(station teaching)
④ 개별화 교수(individualized teaching)

■ **스테이션 교수** : 몇 명의 교사가 자기 정거장(교실)에 머물러 있으면서 각기 다른 내용을 가르치고, 학생들을 몇 개의 그룹으로 나누어서 각기 다른 정거장으로 가서 수업을 받는 것. 실제 학습시간이 증가됨.
■ **팀 교수** : 2명 이상의 교사가 동시에 지도하는 협력교수방식.
■ **또래 교수** : 수업활동에서 학생을 보조교사로 활용하는 수업방식.
■ **개별화 교수** : 학생 각자의 특성을 존중하여 능력향상을 도모하는 수업방식.

정답 10 : ③, 11 : ①, 12 : ③

심화문제

13 보기에서 설명하는 수업 스타일은?

보기

프로그램	생활체육 통합농구교실		
목 표	2점 슛을 성공할 수 있다.	내 용	자유투라인에서 슛을 한다.
대 상	발달장애인	장 소	실내체육관

수업 스타일
» 경험 많은 참여자가 보조지도자로서 신규 참여자를 지도한다. » 지도자에 대한 참여자의 비율을 줄이는 효과가 있다.

① 역주류화수업(reverse mainstreaming)
② 팀교수(team teaching)
③ 또래교수(peer tutoring)
④ 협동학습(cooperative learning)

■ **또래교수**(동료교수) 방식의 지도는 한 사람의 참여자가 또래교사가 되어 지도자와 함께 다른 참여자들을 지도하는 것이다.
■ **팀교수** : 12번 문제 해설 참조.
■ **역주류화수업** : 비장애학생이 하루 종일 또는 일정 시간 장애학생들과 통합하여 학습하는 것
■ **협동학습** : 학급 전체 또는 5~6명의 소그룹이 공동목적을 달성하기 위해 협력적으로 하는 학습. 공동학습.

필수문제

14 장애인에게 적합한 신체활동 변형에 관한 설명으로 옳지 않은 것은?

① 활동의 본질적인 특성을 변형한다.
② 참여를 촉진하는 방향으로 변형한다.
③ 최적의 수행능력을 발휘하도록 변형한다.
④ 장애로 인해서 제한이 발생하지 않도록 변형한다.

■ 장애인의 신체활동 변형은 다음과 같이 한다.
· 참여의 극대화
· 필요한 경우에만 활동 변형
· 해당 스포츠활동의 본질적인 특성 살림
· 최소한의 규칙 변화

심화문제

15 활동변형에 대한 설명 중 틀린 것은?

① 대상자의 장애유형과 정도에 맞는 신체활동을 제공하기 위해서 변형하는 것이다.
② 개인의 흥미와 여건에 맞는 신체활동을 제공하기 위해서 변형하는 것이다.
③ 체육시설과 환경을 수정 또는 변형하는 것은 활동변형이 아니다.
④ 용기구와 규칙 등을 수정 또는 변형하는 것이다.

■ 체육시설과 환경, 용기구, 규칙 등의 변형도 활동변형이다.

16 활동변형은 필요에 따라서 알맞게 해야 하지만, 가능한 한 변형을 최소화하려고 노력해야 한다. 다음 중 활동변형으로 보기 어려운 것은?

① 체육시설과 환경의 변형　　② 체육 용기구의 변형
③ 규칙의 변형　　④ 지도방식의 변형

■ 지도방식의 변형은 활동변형이 아니라 수업스타일 및 방식의 변형이다.

정답 13 : ③, 14 : ①, 15 : ③, 16 : ④

17 보기에서 설명하는 장애인을 위한 스포츠 지도전략으로 적절하지 않은 것은?

> 보기 ㉠ 신체적 자기개념과 활동참여 동기의 부족
> ㉡ 산만함과 과잉행동, 공격성, 의사소통의 어려움
> ㉢ 변화에 대한 거부, 반복적인 동작, 독특한 감각반응

① 불필요한 자극을 최소화한다.
② 지도 환경을 구조화하고 일관성을 유지한다.
③ 협동놀이로 시작하여 대인이나 개인 활동으로 발전시킨다.
④ 대상자의 감각 · 지각 운동 양식을 파악한다.

■ 의사소통이 어렵고 공격적인 장애인에게 협동놀이를 시키면 할 수 있겠는가?

필수문제

18 장애인의 스포츠 참여를 촉진하기 위한 방법으로 적절하지 않은 것은?

① 청각장애인을 위한 사이클 경기에서 탠덤 자전거(tandem cycle)를 사용한다.
② 지적장애인을 위한 축구 경기에서 오프사이드(off side) 반칙을 없앤다.
③ 척수장애인을 위한 농구 경기에서 더블 드리블(double dribble)을 허용한다.
④ 시각장애인을 위한 볼링 경기에서 가이드레일(guide rail)을 설치한다.

■ 두 사람이 패달을 밟아서 갈 수 있는 2인용 자전거와 청각장애인의 자전거 경기는 별로 관련이 없다.

심화문제

19 장애인의 신체활동 참여를 촉진하는 변형전략으로 적절한 것은?

① 정기적으로 활동을 변형한다.
② 활동의 본질적인 구성을 변형한다.
③ 규칙의 변형을 최소화하여 활동에 적응하게 한다.
④ 참여자가 소극적일 때에는 경기장의 규격을 넓혀서 적용한다.

■ 규칙 변형을 최소화하여 활동에 적응하여야 운동의 본래목적을 달성할 수 있다.

20 장애인들이 소프트볼 게임을 할 때 적용되는 활동변형의 예로 적절하지 않은 것은?

① 시각장애인을 위해 소리 나는 공과 베이스를 사용한다.
② 청각장애인을 위해 베이스는 일반 경기장과 다른 재질을 사용한다.
③ 지적장애인을 위해 활동에 필요한 규칙을 좀 더 단순화한다.
④ 근력이 부족한 사람을 위해 가벼운 배트나 공을 사용한다.

■ 청각장애인이 소프트볼 게임을 할 때는 활동변형을 할 필요가 거의 없다.

21 장애인들이 활동하는 체육공간이 갖추어야 할 기본조건이 아닌 것은?

① 접근성과 편의성 ② 안전성
③ 오락성 ④ 효율성

■ 오락성이 아니고, 참가자의 흥미를 유발시킬 수 있는 흥미성이 필요하다.

정답 17 : ③, 18 : ①, 19 : ③, 20 : ②, 21 : ③

22 **보기는 미국장애인교육법에서 명시한 정의이다. 밑줄 친 '독특한 요구'를 충족시켜 주기 위한 지도방법으로 옳지 않은 것은?**

> 보기
> 특수체육은 장애인의 '<u>독특한 요구(unique needs)</u>'를 충족시키기 위해 고안된 체력과 운동체력 ; 기본운동기술과 양식 ; 수중, 무용, 개인 및 집단 게임, 스포츠에서의 기술의 발달을 위한 개별화된 프로그램이다.

① 개인별 목표 성취를 위해 신체활동의 방법을 변형한다.
② 휠체어 사용자를 위해 체육시설의 접근성을 높인다.
③ 동선 상의 위험요인을 제거한다.
④ 변형을 위해 활동의 본질을 바꾼다.

▪ 변형을 위해 활동의 본질을 바꿔서는 안 된다.
▪ **장애인스포츠활동 변형 요건**
· 최소한의 규칙 적용
· 협동심이 필요한 활동 제시
· 스포츠의 본질 유지
· 참여의 극대화를 유도

필수문제

23 **보기의 특수체육 실행 과정에서 적용한 과제 지도 방식은?**

> 보기
> 축구를 지도하기 위해 〈기초 기능〉 → 〈응용 기능〉 → 〈수비 · 공격 전술〉 → 〈간이 게임〉 순서로 지도하였다.

① 하향식 접근법(top-down approach)
② 발달적 접근법(developmental approach)
③ 생태학적 접근법(ecological approach)
④ 기능적 접근법(functional approach)

▪ **하향식 접근법** : 개발적인 측면에서 시작하여 점차 세분화해가는 지도법.
▪ **발달적 접근법** : 세부동작을 가르친 다음에 그것을 조합하여 전체 동작으로 이어지도록 지도하는 것.
▪ **생태학적 접근법** : 개인의 발달과정을 개인과 환경의 상호작용과 제도적인 측면에서 이해하려는 연구방법.
▪ **기능적 접근법** : 전체 동작을 가르친 다음에 세부 동작을 지도하는 것.

필수문제

24 **보기에서 괄호 안에 해당하는 문제행동 관리의 절차는?**

> 보기
> 1. 문제행동이 무엇인지 파악한다.
> 2.(   )
> 3. 적절한 행동 관리법을 선정한다.
> 4. 효과적인 강화물을 조사하고 선정한다.

① 행동 관리를 시작한다.
② 문제행동이 발생하는 빈도 · 기간 · 유형 등을 파악한다.
③ 행동 변화를 파악한다.
④ 행동 관리의 효과를 파악한다.

▪ **문제행동 관리의 절차**
1. 문제행동 파악
2. 발생빈도 · 기간 · 유형 등 파악
3. 적절한 행동관리 방법 선정
4. 효과적인 강화물 조사와 선정
5. 행동관리 시작
6. 행동관리 시행에 따른 효과의 관찰과 기록
7. 행동관리법에 사용된 강화물을 점차 줄임

정답 22 : ④, 23 : ②, 24 : ②

심화문제

25 지적장애아동 또는 자폐성장애아동들이 문제행동을 일으키는 이유이다. 적절하지 못한 것은?

■ 지적장애아동 또는 자폐성장애아동은 비방이나 비하를 모른다.

① 관심 끌기
② 과제나 자극 피하기
③ 원하는 물건이나 활동 얻기
④ 자기조절
⑤ 무의미한 놀이나 오락
⑥ 비방 또는 비하하기

■ **프리맥 원리** : 바람직한 행동을 하면 좋아하는 것을 하게 해 주는 것. Premack의 이론.
■ **토큰강화** : 바람직한 행동을 하면 그것을 강화시키기 위하여 원하는 것과 교환할 수 있는 토큰을 주는 것.
■ **타임아웃** : 문제행동을 하면 제외 · 고립 · 차단시켜서 그것을 못하도록 관리하는 것.
■ **과잉교정** : 문제행동을 하면 그것을 더 심하게 하도록 해서 스스로 잘못을 알게 하는 것.

필수문제

26 보기에서 설명하는 행동수정기법은?

보기
체육 기구를 계속 던지면서 수업을 방해할 때마다 제자리에 돌려 놓도록 강제적이고 반복적으로 시켰다.

① 프리맥 원리　　② 과잉교정
③ 토큰강화　　④ 타임아웃

심화문제

27 보기에서 김 선생님이 사용하고 있는 행동수정 기법은?

보기
장애인스포츠지도사인 김 선생님은 인라인스케이트를 좋아하는 철수에게 줄넘기를 지도하고 있다. 줄넘기에 흥미가 없는 철수에게 김 선생님은 줄넘기를 10분간 연습하면 인라인스케이트를 20분 탈 수 있다고 약속하였다.

■ 좋아하는 것을 할 수 있게 해주는 것을 프리맥 원리라고 한다(p. 43 참조).

① 반응대가(response cost)
② 토큰 경제 강화(token economy reinforcement)
③ 프리맥 원리(Premack principle)
④ 타임 아웃(time-out)

28 농구를 너무 좋아하는 자폐성 장애를 가진 학생이 농구 수업 중 동료학생들을 지속적으로 방해할 때 특수체육지도자가 취할 수 있는 강화 중 가장 적절한 것은?

■ 너무 좋아하는 것을 못하게 하면 효과가 즉시 나타난다.

① 타임아웃　　② 칭찬
③ 모델링　　④ 피드백

정답 25 : ⑥, 26 : ②, 27 : ③, 28 : ①

필수문제

29 보기에서 적용한 행동관리 방법으로 가장 적절한 것은?

> 보기
> 셔틀콕을 계속 바닥에 던지는 학생에게 자신이 던진 셔틀콕을 반복적으로 가져오게 하거나 친구들이 사용한 셔틀콕까지 정리하게 한다.

① 행동형성(shaping) ② 반응대가(response cost)
③ 프리맥 원리(Premack principle) ④ 과교정(overcorrection)

- **행동형성** : 목표행동에 점진적으로 접근하게 궁극적으로 그 행동을 하게 하는 방법.
- **반응대가** : 일정한 행동을 함으로써 정적 강화의 중단 또는 벌칙을 가하는 방법.
- **프리맥 원리** : 바람직한 행동을 하면 좋아하는 행동을 하게 하는 방법.
- **과교정** : 잘못된 행동을 더 심하게 해서 자신의 잘못을 알게 하는 방법.

30 보기의 ㉠~㉣에 들어갈 개념이 바르게 묶인 것은?

보기

		절차의 형태: 후속자극(consequence) 제시	절차의 형태: 후속자극(consequence) 제거
목표	바람직한 행동의 증가	㉠	㉡
	바람직하지 않은 행동의 감소		㉣

	㉠	㉡	㉢	㉣
①	정적강화	부적강화	정적처벌	부적처벌
②	부적강화	정적강화	부적처벌	정적처벌
③	정적강화	정적처벌	부적강화	부적처벌
④	부적강화	부적처벌	정적처벌	정적강화

- **정적강화** : 어떤 행동이 발생한 후에 긍정적 강화물(보상, 칭찬 등)을 제시하여 행동의 빈도나 확률이 높아지도록 유도하는 것
- **부적강화** : 원하지 않는 자극(부정적 자극)을 제거해 줌으로써 긍정적 행동 변화를 유도하는 것
- **정적처벌** : 어떤 행동이 발생한 다음에 특정 자극이 제시되거나 자극의 강도가 강해져 앞선 행동을 줄이거나 제거하는 것
- **부적처벌** : 어떤 행동이 일어난 다음에 특정 자극을 제거하거나 강도가 앞선 행동을 줄이거나 제거하는 것

		절차: 자극 제시	절차: 자극 제거
목표	행동 증가	정적강화	부적강화
	행동 감소	정적처벌	부적처벌

출처 : 최승권(2018). 특수체육론. p.181.

정답 29 : ④, 30 : ①

심화문제

31 바람직하거나 긍정적인 행동을 했을 때 제공하는 정적 강화기법에 대한 설명이다. 잘못된 것은?

① 용암법(fading) : 지원이나 도움을 점진적으로 제거하는 것
② 토큰(token)강화 : 토큰을 모았다가 원하는 것과 교환할 수 있도록 해서 강화하는 것
③ 프리맥(Premack)의 원리 : 좋아하는 행동으로 싫어하는 행동을 강화하는 것
④ 촉진 : 손으로 쓰다듬는 등 신체접촉을 통해서 행동을 강화하는 것

■ 촉진은 부모나 지도자가 도와주는 것이다.

32 보기에서 사용하는 행동관리 기법은?

보기 처음에는 두 손으로 보조를 하다가 한 손으로 보조를 하거나, 언어적 보조를 하다가 언어적 보조를 점차적으로 제거한다.

① 칭찬(praise)
② 용암(fading)
③ 토큰 강화(token economy)
④ 프리맥의 원리(Premack principle)

■ 사용하던 강화물을 점차적으로 줄이는 것을 **용암**(점차적 소멸)이라고 한다.

필수문제

33 운동발달의 형태별 특징을 설명한 것이다. 잘못 설명한 것은?

① 반사운동 형태 : 불수의적인 움직임이고, 정보유입단계와 정보유출단계로 구분한다.
② 기초운동 형태 : 불수의적인 움직임이 시작되면서부터 나타나고, 반사억제단계와 통제이전단계로 구분한다.
③ 기본운동 형태 : 유아기에 기초운동능력이 발달하면서 시작된다. 초기단계, 기초단계, 성숙단계로 구분한다.
④ 전문적 운동 형태 : 기본운동형태 이후에 나타나고, 운동기술을 배워서 스포츠활동에 적용하게 된다. 전이단계, 적용단계, 평생활용단계로 나눈다.

■ 기초운동 형태는 수의적인 움직임이 시작되면서부터 나타난다.

정답 31 : ④, 32 : ②, 33 : ②

심화문제

34 보기에서 설명하고 있는 반사는?

> 보기
> » 이 반사는 비장애아에게도 일정기간 존재하고, 대뇌피질이 발달되면 통합되어 억제된다.
> » 이 반사는 적절한 시기에 나타나지 않거나 통합되지 않으면 뇌의 발달에 문제가 있음을 의미한다.
> » 뇌성마비 장애인에게는 이 반사가 평생 동안 남아 있을 수 있다.

① 신전반사 ② 운동반사
③ 원시반사 ④ 자유반사

■ 아기의 반사행동에는 생존을 위해서 하는 생존반사와 태어난 직후에 있다가 몇 개월 후에 사라지는 원시반사가 있다. 원시반사의 대표적인 것으로는 모로반사와 잡기반사가 있다.

35 운동발달 단계를 순서대로 바르게 연결한 것은?

① 반사/반응 행동→감각운동 반응→운동양식→운동기술
② 감각운동 반응→운동기술→운동양식→반사/반응행동
③ 운동기술→운동양식→반사/반응행동→감각운동 반응
④ 운동양식→반사/반응행동→운동기술→감각운동 반응

■ 반사행동이 제일 처음이고 운동기술 행동이 맨 마지막이다.

36 운동발달의 원리가 아닌 것은?

① 머리 → 발 방향의 발달
② 근위 → 원위 협응 발달
③ 발달단계의 동일성
④ 소근육 → 대근육 발달

■ 대근육이 소근육보다 먼저 발달한다.

37 보기에서 설명되고 있는 이동기술은?

> 보기
> » 앞발을 내디딘 후 뒷발을 앞발 뒤꿈치에 가깝게 내딛는다.
> » 어느 쪽 발로 시작해도 무방하다.
> » 두 발이 동시에 땅에서 떨어지는 순간이 있다.
> » 양팔을 구부려 허리 높이로 들어 올린다.

① 홉(hop) ② 달리기(run)
③ 갤럽(gallop) ④ 슬라이드(slide)

■ 갤럽은 우리말로 깡충뛰기이고, 홉은 외발로 뛰기이며, 슬라이드는 미끄러지기이다.

정답 34 : ③, 35 : ①, 36 : ④, 37 : ③

38 발달의 원리 중에서 잘못된 것은?

보기
㉠ 발달은 연속성을 가지며, 수정에서 사망까지 연속적으로 이어지는 과정이다.
㉡ 발달순서에는 동일성이 있다.
㉢ 발달은 신경학적 성숙과 관련이 있고, 생물학적 발달, 인지적 발달, 사회정서적 발달이 서로 밀접한 영향을 주고받는다.
㉣ 발달은 대근육→소근육 방향, 머리→꼬리 방향, 몸 쪽(근위)→먼 쪽(원위) 방향, 양 방향→한 방향, 수평적 동작→수직적 동작 방향으로 진행된다.
㉤ 발달속도에는 개인차가 없다.

■ 발달속도에는 개인차가 있다.

① ㉡ ② ㉢ ③ ④ ④ ㉤

필수문제

39 장애인을 위한 체력 육성의 일반적인 원칙으로 적절하지 않은 것은?

① 규칙적으로 반복하여 실시한다.
② 개인의 특성과 능력에 맞게 구성한다.
③ 운동 강도와 빈도를 계획에 따라 일률적으로 적용한다.
④ 흥미를 잃지 않도록 운동과 휴식을 조화롭게 구성한다.

■ 장애인에게는 운동강도와 빈도를 일률적으로 적용해서는 안 된다.

심화문제

40 장애인의 체력을 측정할 때 반드시 지켜야 할 원칙이 아닌 것은?

① 측정기구나 평가기준을 변경하지 않고 측정할 것.
② 영점(0점)이 없는 측정을 할 것.
③ 다양한 방법을 준비하여 다양한 능력을 측정할 것.
④ 개인의 가능성과 장점을 찾기 위한 측정을 할 것.

■ 장애의 유형과 정도의 차이를 고려해서 측정기구나 평가기준을 변경해서 측정해야 한다.

필수문제

41 체육관에서 장애인이 운동을 하다가 발작을 일으켰을 때의 대응 방법으로 가장 적절한 것은?

① 발작 부위를 잡아서 진정시킨다.
② 발작이 끝난 후에는 곧바로 운동에 참여시킨다.
③ 침이 흐르지 않도록 손수건을 입에 대고 머리를 똑바로 세운다.
④ 몸을 부축해서 천천히 자리에 눕히고 주변에 위험한 물건을 치운다.

■ 발작하는 동작을 할 때에는 억지로 붙들면 두 사람 모두 다친다. 발작행동 때문에 다른 물건과 부딪쳐서 상해를 입지 않도록 주변에 있는 위험한 물건을 치워야 한다.

정답 38 : ④, 39 : ③, 40 : ①, 41 : ④

필수문제

42 보기에서 설명하는 모스톤과 애쉬워스(M. Mosston & S. Ashworth, 2002)의 교수 스타일은?

보기
» 장애인스포츠지도자가 수업 운영과 관련된 모든 사항을 결정한다.
» 지도자는 장애인에게 운동과제에 대한 설명과 시범을 보이고, 연습하게 하고 피드백을 제공한다.
» 수업에서 장애인의 안전을 확보하는데 효과적인 교수 스타일이다.

① 지시형 스타일(command style)
② 연습형 스타일(practice style)
③ 상호학습형 스타일(reciprocal style)
④ 유도발견형 스타일(guided discovery style)

■ 모스톤과 애쉬워스의 특수체육 교수 스타일

유 형	내 용
지시형	수업을 시작하기 전에 교사가 수업에 관련된 모든 내용을 결정하여 설명하고 시범을 보이면 학생은 지시적으로 피드백을 받는다. 안전 확보에 적절한다.
연습형	교사는 수업에서 개인차를 허용하며, 학생에게 특정 피드백을 한다. 스테이션을 이동하며, 과제 카드를 읽는 학생에게 격려 · 지지 · 피드백을 제공한다.
상호 학습형	장애 정도가 다른 또래와 짝을 이룬다. 짝의 수준이 맞지 않으면 교사가 관리한다. 지시형이나 연습형보다 사회적 상호 작용과 피드백이 많이 제공된다.
소집단(개별화)	상호 학습형의 확장으로, 소그룹을 구성하여 각각 돌아가며 역할을 맡는다. 학생의 책임감을 증진시키고, 교사의 책임감을 덜어서 그룹에 부여한다.
유도 발견형	교사가 정답을 주지 않고 학습자를 과제에 집중하게 한다. 이 유형은 수직 점프 혹은 축구 드리블과 같은 운동을 할 때 사용된다.
확산 발견형 (문제 해결형)	움직임 접근, 움직임 탐구와 같은 말이다. 결과보다는 과정을 중요시한다. 교사는 학생에게 도전적 움직임을 제공하고, 합리적인 움직임 동작을 찾도록 한다. 교사는 도전의 의미를 이해시키며 격려하여 도움을 준다.
자기 설계형	신체적 능력과 인지적 능력에 기초를 두고 창의력을 개발하기 위한 교수 유형이다. 교사는 과제만 정해 주고, 학생 스스로 문제와 답을 찾게 한다.

출처 : 최승권, 특수체육론, p.176에서 수정 게재.

정답 42 : ①

필수문제

43 미국스포츠의학회(ACSM)의 '운동 참여 전 건강검진 알고리즘'을 적용할 때, 보기에서 의료적 허가가 필요하지 않은 시각장애인은?

보기
대한장애인체육회에서는 생활체육 골볼교실에 참가하는 시각장애인에게 운동참여 전 건강 문진을 통해서 다음의 결과를 얻었다.

문항 \ 시각장애인	㉠	㉡	㉢	㉣
현재 규칙적으로 운동에 참여하는가?	예	예	아니오	예
심혈관 질환, 대사 질환, 또는 신장 질환이 있는가?	예	아니오	예	아니오
질병을 암시하는 징후 또는 증상이 있는가?	아니오	예	아니오	아니오
원하는 운동강도가 있는가?	고강도	중강도	고강도	고강도

① ㉠ ② ㉡ ③ ㉢ ④ ㉣

■ ACSM의 운동 참여 전 건강검진 알고리즘에서 의료적 허가가 필요하지 않은 사람은 현재 운동을 하고 있지만, 심혈관질환 · 대사질환 · 신장질환의 징후나 증상이 없는 경우이다(㉣).

정답 43 : ④

04 Chapter

지적장애 · 정서장애 · 자폐성 장애의 특성 및 스포츠 지도 전략

장애인의 분류

신체적 · 정신적 장애로 오랫동안 일상생활이나 사회생활에서 상당한 제약을 받는 자를 장애인이라 하고, 장애인복지법에 장애인의 종류 및 기준이 정해져 있다.

☞ 장애인을 신체적 장애자와 정신적 장애자로 분류한다(대분류).

☞ 신체적 장애는 외부 신체기능의 장애와 내부기관의 장애로 나누고, 정신적 장애는 발달장애와 정신장애로 나눈다(중분류).

☞ 소분류에서는 15가지 장애로 분류하고, 더 자세한 분류는 세분류에 있다.

지적장애

1 지적장애의 정의

정신지체라고도 하며, 다음 3가지 요건을 모두 만족시켜야 지적장애인으로 인정된다.

☞ 지능지수가 70 이하일 것.

☞ 18세 이전에 발생할 것.

☞ 적응행동이 동년배의 집단에게 요구되는 것보다 유의미하게 제한될 것.

2 적응행동(기술)의 종류

개념적 기술	읽기, 쓰기, 돈, 시간 , 수의 개념 등
사회적 기술	대인관계, 사회적 책임감, 규칙 따르기, 사회적 문제해결 등
실제적 기술	일상생활 활동, 계획수립, 돈 사용, 작업 기술, 안전, 건강관리 등

3 지적장애의 종류

다운증후군	21번 염색체가 3개가 존재하여 생기는 유전 질환으로, 환 · 축추가 불안정하며, 고관절탈구가 많고, 새가슴이나 내반족이 많다. 특징적인 얼굴 모습을 관찰할 수 있다. 지능이 낮고, 일반인에 비하여 수명이 짧다.
터너증후군	성염색체인 X염색체 부족으로 이상이 발생하는 유전 질환이다. 성인이 되어도 키가 140cm 정도밖에 안 된다.
윌리엄스 증후군	엘라스틴을 만드는 유전자 하나가 없어서 발생하는 증후군이다. 코가 치켜 올라가 있고 턱이 작다. 소리에 극도로 민감하고, 또래에 비해 일찍 나이가 드는 것처럼 보인다. 간단한 수학문제도 풀지 못하지만 언어를 유창하게 구사하고, 얼굴을 기억하는 데 뛰어난 능력을 가지고 있기도 하다.
약체 X 증후군	X염색체의 끝부분이 약해서 생기는 증후군이다. 고환이 거대하고, 가운데 손금이 뚜렷한 일자이며, 엄지손가락 마디가 두 개다. 눈을 잘 맞추지 못하고, 촉각방어를 보인다.

4 지적장애아동의 스포츠 지도전략

☞ 지적장애인의 운동능력은 모든 영역에서 같은 연령의 비장애인에 비해 그 성적이 낮고, 복잡한 운동 과제일수록 그 차이가 커진다.

☞ 장애의 정도에 따라서 언어지도→시범(모델링)지도→직접지도 방법을 적절히 사용하여 지도해야 하고, 쉬운 과제에서 어려운 과제로, 익숙한 과제에서 새로운 과제로 지도해야 한다.

☞ 스포츠를 활용하여 자립과 사회경제활동의 참가, 여가선용, 신체기능의 유지 · 증진을 꾀하는 삶의 질 향상이 목표이다.

☞ 스포츠를 즐기게 되면 사회적응능력을 습득할 수 있고, 합병증 예방과 개선에도 효과적이다.

5 미국 지적 및 발달장애협회(AAIDD, 2010)의 지적장애의 정의

▶ 정의 : 지적장애란 지적 기능성과 개념적·사회적·실제적 적응기술로 표현되는 적응행동의 두 영역에서 의미 있는 제한성을 보이는 것이다. 이 장애는 18세 이전에 시작된다.

이러한 정의를 적용하기 위해서는 다음의 가정들이 반드시 전제되어야 한다.

☞ 현재 기능적인 제한성은 그 개인의 동년배와 문화에 전형적인 지역사회 환경의 맥락 안에서 고려되어야 한다.

☞ 타당한 평가는 의사소통, 감각과 운동 및 행동 요인에서의 차이뿐만 아니라 문화와 언어에서의 다양성도 함께 고려하여 실시해야 한다.

☞ 한 개인은 제한성만 갖고 있는 것이 아니라 동시에 강점도 갖고 있다.

☞ 제한성을 기술하는 중요한 목적은 그 개인에게 필요한 지원이 무엇인지 파악하기 위해서이다.

☞ 개별화된 적절한 지원이 장기간 제공된다면 지적장애인의 생활기능은 전반적으로 향상될 것이다.

▶ 지적능력 : AAIDD에서는 Spearman의 일반요인을 토대로 지능을 개념화하였다. 즉 일반요인과 특수요인으로 구분하였다. 일반요인은 지적인 능력과 관련된 모든 과제에 필요한 능력으로, 이 부분에서의 개인차가 바로 지적능력에서의 개인차에 해당한다. 이는 지능이 단일 능력이 아니라 다양한 요인의 구성이며, 지적능력의 대부분이 일반요인이라는 공통요인에 의해 설명될 수 있다는 의미이다. 지능이 낮은 수준은 -2표준편차 이하를 의미한다.

▶ 적응행동 : 일상생활뿐만 아니라 환경적 요구에 반응하는 능력

개념적 기술	언어와 문해기술, 금전 개념, 시간 개념, 수 개념, 자기 지시
사회적 기술	대인기술, 사회적 책임감, 자긍심, 속기 쉬움, 조심, 사회적 문제 해결, 규칙 및 법률 준수, 희생되는 것을 피함.
실제적 기술	일상생활 활동, 직업기술, 금전 사용, 건강과 안전, 여행/대중교통 이용, 일과 계획

정서장애

1 정서장애의 정의

정서의 표현 방법이 일반인에 비해 편향되어 있거나, 과격하게 표현하는 등 자신의 의지로는 통제하기 어려운 상태에 있는 것을 정서장애라고 한다. 타인에게 공격적이며, 파괴적인 행동이

아주 심하고, 여러 종류의 '비행'을 저지르며, 자기 자신이 놀림을 받고 있다고 느끼기도 한다.

아동 정신의학에서의 정의	본인 자신이 괴로워하는 정서장애와 주위를 곤란하게 하는 반사회적 행동을 하는 행동장애로 나눌 수 있다.
특수교육에서의 정의	부적응행동과 학습상의 문제 등이 겹쳐져 특별한 교육적 배치나 배려를 필요로 하는 아동을 의미한다.
생태학적 관점에서의 정의	정서장애는 아동에게 내재하는 것이 아니며, 특정 환경과 결부될 수도 없다. 일반아동도 정서장애아동과 같이 일탈 혹은 부적절한 행동을 하는데, 장애아동은 보다 심각하고 장기간 지속되며 발생빈도가 높고 복합적이라는 점에서 다르다.

2 정서장애아동의 행동특성

Quay(1973)는 정서장애아동의 행동특성을 다음과 같이 4가지로 분류하였다.

행동장애 (conduct disorder)	자리 이탈, 교실 배회, 지시 불응 등과 같은 분열행동과 같은 행동을 반복하는 상동행동이 있다.
불안감-위축행동 (anxiety-withdrawal)	주변 환경에 잘 대처하지 못하는 행동.
미성숙행동 (immaturity)	심하게 울기, 분노 발작 등.
사회화된 공격행동 (socialized aggression)	사람이나 사물에 하는 위해행동.

- ☞ 지적인 분야……정서장애아동들은 비장애아동보다 IQ가 낮다.
- ☞ 공격성……정서장애아동들은 어떤 일을 꾸준히 지속하는 끈기가 부족하고, 파괴적 행동을 보인다. 정서장애아동들의 행동은 극단적이고, 정상적인 훈육 방법에 의해서 변화되지 않고, 벌을 주어도 효과가 거의 없다.
- ☞ 위축성……위축되고 미성숙한 행동을 한다. 정상적인 성격발달과 원만한 대인관계를 기대하기 어렵다.
- ☞ 사회성……사회적인 성숙도가 낮기 때문에 놀이집단이 없고, 혹시 있어도 자기 연령에 맞지 않는 집단이다. 결국에는 사회적으로 고립된다.
- ☞ 주의력 부족……과잉행동은 주의력 부족의 대표적인 증상이다.
- ☞ 정서적인 분야……불안해하고, 두려워하며, 긴장한다. 공포, 강박관념 및 우울 행동이 있다. 자신의 일을 남몰래 하는 경향이 있다.

3 정서장애의 종류

주의력결핍에 의한 과잉행동 장애(ADHD)	부주의하고, 충동적이며, 과잉행동을 보이는 것이 특징이다. 지나치게 안절부절한다. 학업이나 다른 활동에 부주의한 실수를 저지른다. 지시를 따르지 못하고, 임무를 수행하지 못한다. 다른 사람의 활동을 방해하고 간섭한다.

품행장애(CD)	사기 또는 도둑질, 심각한 규칙 위반, 사람과 동물에 대한 공격행동을 하는 것이 특징이다. 파괴적이고, 비협조적이며, 무례하다. 정직하지 못하고, 무책임하며, 약한 아이들을 괴롭히거나 협박한다. 사람이나 동물에게 신체적으로 잔혹하게 대한다.

4 정서장애아동의 스포츠 지도전략

운동발달이나 체력이 또래보다 약하다는 증거는 없다. 그러나 자기방임 행동, 불순종적 행동, 공격적 행동, 자기자극 행동 등 때문에 스포츠활동에 참여하기 어렵다. 그러므로 문제행동을 먼저 수정한 다음 스포츠에 참여시켜야 한다.

☞ 기능적 행동 사정……문제행동의 동기가 되는 상황이나 맥락을 확인하고

☞ 원인 제거……문제행동의 동기가 되는 원인을 제거하거나

☞ 긍정적 행동 중재……문제행동을 대체할 긍정적인 행동을 연습시켜야 한다.

자폐성 장애

1 자폐성 장애의 정의

사회적 상호작용과 의사소통에 결함이 있고, 제한적이고 반복적인 관심과 활동을 보임으로써 교육적 성취 및 일상생활에 도움이 필요한 사람을 자폐성 장애인이라고 한다. 자폐의 증상과 원인이 다양하기 때문에 세계보건기구에서 자폐증의 공식 명칭을 자폐 스펙트럼 장애로 바꾸었다.

자폐성 장애는 근본적인 치유는 불가능한 것으로 보이고, 교육을 통해서 다른 사람과 상호작용하는 법을 배우면 증상을 완화할 수는 있다. 자폐성 장애인은 모두 천재적인 능력을 갖고 있다는 설도 있지만 사실이 아니다.

2 자폐성 장애아동의 행동특성

☞ 의사소통……돌이 지나도 의사소통이 거의 되지 않는다.

☞ 상동행동……같은 음식, 같은 만화, 같은 놀이 등을 지나치게 고집하기 때문에 다른 아이들과 어울려서 놀지 못한다.

☞ 사회적 성장……얼굴을 마주 보는 것을 싫어하고, 부모의 감정 표현에 거의 반응하지 않는다.

3 자폐성 장애아동의 스포츠 지도전략

자폐성 장애아동들은 스포츠 학습이 어려우므로 상황의 변화에 맞추어 행동해야 하는 스포츠 종목은 피하고, 연속적인 동작으로 구성된 스포츠 종목을 지도해야 한다.

☞ 지도자의 질책은 자폐성 장애아동에게 학습된 무기력에 빠지게 하거나 문제행동을 일으키는 원인이 될 수 있다.

☞ 기능적 행동사정과 긍정적 행동 중재를 이용하여 지도해야 한다.

4 아스퍼거증후군(Aspergers syndrome)

소아에게 나타나는 자폐증과 유사한 장애. 남자아이에게 많고, 지속적인 사회관계 형성에 장애가 있고, 제한되고 정형화된 유형의 행동을 보인다.

필수 및 심화 문제

필수문제

01 보기의 ㉠, ㉡에 들어갈 장애의 정의로 알맞은 것은?

> 보기
> » −2 표준편차 이하의 지적 기능을 나타낸다.
> » (㉠) 영역에서 적응 행동의 제한이 명백히 나타난다.
> » (㉡) 이전에 시작된다.
> − 미국 지적장애 및 발달장애협회(AAIDD, 2010) −

㉠	㉡
① 실제적, 사회적, 개념적	18세
② 개념적, 실제적, 사회적	19세
③ 발달적, 사회적, 실제적	18세
④ 교육적, 행동적, 사회적	19세

■ AAIDD(미국 지적장애 및 발달장애협회)의 장애의 정의(2010)
· 지적장애는 지적 기능성과 실제적 · 사회적 · 개념적 적응 기술로 표현되는 적응 행동의 두 영역에서 유의한 제한성을 가진 것으로 특징지어 진다.
· 이 장애는 만 18세 이전에 시작한다.
■ p. 60 참조.

심화문제

02 미국 지적 및 발달장애협회(AAIDD, 2010)의 지적장애 정의에 대한 설명 중 옳지 않은 것은?

① 만 20세 이후에 시작된다.
② 적응행동에서의 명백한 제한이 나타난다.
③ 지능 지수가 평균에서 2 표준편차 이하이다.
④ 적응행동은 개념적, 사회적, 실제적 적응기술에서 명백한 제한이 나타난다.

■ ① 만 18세 이전에 시작된다(p. 60 참조).

03 각 나라마다 또는 각 기관마다 지적장애인에 대한 정의가 조금씩 다르지만, 공통점은 다음과 같다. 틀린 것은?

① 지적기능이 IQ70 이하인 사람
② 적응행동 기술이 또래집단에게 요구되는 것에 비하여 의미있게 제한되는 사람
③ 장애의 발생시기가 만 18세(또는 20세) 이하인 사람
④ ① ② ③ 중 한 가지라도 해당되면 지적장애인으로 분류한다.

■ ①, ②, ③의 3가지가 모두 충족되어야 지적장애인으로 분류한다.

정답 01 : ①, 02 : ①, 03 : ④

■지적장애의 원인에 대한 다요인적 접근을 생의학적(유전적 요인과 사고나 질병에 의한 후천적 요인이 합쳐진 것)·사회적·행동적·교육적 원인으로 범주화한 것이다.

04 **지적장애의 원인을 생물학적 요인만으로는 설명할 수 없고, 여러 가지 요인이 복합적으로 작용한 결과라고 본다. 다음 중 지적장애의 원인으로 볼 수 없는 것은?**

① 생의학적 요인
② 사회적 요인
③ 행동적 요인
④ 교육적 요인
⑤ 유전적 요인

■지적장애와 자폐성 장애는 발달장애에 속한다.
■지체·시각·청각·정신장애는 발달이 또래보다 덜 된 것이 아니다.

필수문제

05 **장애인복지법시행령(2014)에서 발달장애로 분류하는 장애유형으로 바르게 묶인 것은?**

① 정신장애 – 지체장애
② 시각장애 – 청각장애
③ 언어장애 – 정신장애
④ 지적장애 – 자폐성장애

■지능지수가 34 이하–1등급, 49 이하–2등급, 70 이하–3등급

심화문제

06 **우리나라 장애인복지법 시행규칙에 의한 지적장애 등급분류 기준은?**

① 적응행동
② 지원요구 강도
③ 지능지수
④ 참여와 맥락

■세분류에 더 자세하게 분류되어 있다.

07 **우리나라의 장애인복지법에 의한 장애인과 그 분류에 대한 설명이다. 틀린 것은?**

① 신체적·정신적 장애로 오랫동안 일상생활이나 사회생활에서 상당한 제약을 받는 자를 장애인이라고 한다.
② 장애인을 신체적 장애자와 정신적 장애자로 분류한다(대분류).
③ 신체적 장애는 외부 신체기능의 장애와 내부기관의 장애로 나누고, 정신적 장애는 발달장애와 정신장애로 나눈다(중분류).
④ 소분류에 15가지 장애가 규정되어 있고, 더 이상의 분류는 없다.

정답 04 : ⑤, 05 : ④, 06 : ③, 07 : ④

필수문제

08 다운증후군 지적장애인의 신체적 특징으로 옳지 않은 것은?

① 환축추 불안정(atlantoaxial instability)을 볼 수 있다.
② 새가슴이나 내반족을 볼 수 있다.
③ 척추가 휘어 있거나 고관절 탈구가 많다.
④ 과도한 신전반사(hyperactive stretch reflex)가 빈번히 나타난다.

■ 다운증후군 지적장애인에서는 신전반사를 거의 볼 수 없다.
■ 다운증후군 지적장애(p. 59) 참조.

심화문제

09 지적장애인의 특성이 아닌 것은?

① 주의집중 · 모방 · 기억 등 인지적 능력이 낮아서 지식의 습득과 추론 등에 어려움이 있다.
② 운동의 발달과 운동의 기능이 모두 지체된다.
③ 감정을 표현하거나 사회적 상황에 적절하게 행동하는 데에 어려움이 있다.
④ 사람과 동물에 대한 공격성이 심하다.

■ 사람과 동물에 대한 공격성이 큰 것은 정서 및 행동장애인 중에서 **품행장애인**이다.

필수문제

10 보기에서 지적장애인의 스포츠 지도전략으로 옳은 것은?

보기
㉠ 지적장애인의 개인별 선호도와 선택권을 존중한다.
㉡ 피아제(J. Piaget)의 인지발달 단계에서 전조작기에 해당하는 지적장애인은 전술 위주의 프로그램에 참여시킨다.
㉢ 지적장애인의 운동수행 능력은 비장애인보다 현저하게 낮기 때문에 통합스포츠 참여를 제한한다.
㉣ 장애 정도에 따라 규칙이나 기술을 변형한다.
㉤ 지도자의 설명을 이해하지 못하면 시범을 보이며 설명한다.

① ㉠-㉡-㉢　　② ㉡-㉢-㉣
③ ㉠-㉣-㉤　　④ ㉡-㉣-㉤

■ ㉡ 전조작기에 해당하는 장애인은 전술을 이해할 능력이 없다.
㉢ 지적장애인과 비장애인을 무작정 통합교육을 하면 효과를 기대할 수 없다. 그러나 상황에 따라 통합스포츠에 참여시키면 비장애인을 롤모델로 삼을 수도 있을 것이다.

심화문제

11 지적장애인에게 스포츠를 지도하는 전략으로 가장 좋은 것은?

① 기능적 행동사정과 긍정적 행동중재　　② 과제분석과 과제변형
③ 운동 환경의 개선　　④ 의사소통

■ 지적장애인에게는 쉬운 것부터 어려운 것으로 가르쳐야 한다.

정답 08 : ④, 09 : ④, 10 : ③, 11 : ②

■중도 지적장애인의 스포츠지도 전략
- 정적 강화기법을 많이 활용
- 주의집중에 방해가 되는 걸림돌 제거
- 설명을 자세히 하고 전체 동작보다는 부분 동작 중심으로 지도
- 과격한 신체활동 지양
- 먼저 시범을 보이고, 이를 따라 하도록 지도
- 언어적 지도는 되도록 짧고 간단명료하게
- 반복 학습
- 다양한 감각적 단서 제공

■중도 지적장애인에게는 높은 수준의 스포츠기술을 지도해서는 안 된다.

■지적장애인 체육지도 시 공·라켓 등은 작은 것에서 점차 큰 것으로 바꾸는 것이 적절하다.

필수문제

12 스포츠를 처음 배우는 중도(重度) 지적장애인을 위한 지도전략으로 옳지 않은 것은?

① 배구에서 배구공을 가볍고 큰 공으로 변형한다.
② 기본운동기술을 높은 수준의 스포츠 기술로 변형한다.
③ 골프에서 골프공을 가볍고 큰 공으로 변형한다.
④ 평균대 위 걷기에서 안전바(safety bar)를 잡고 걷게 한다.

심화문제

13 지적장애인을 위한 체육활동의 변형 방법으로 적절한 것은?

① 축구 : 경기장의 크기를 확대한다.
② 배구 : 비치볼(beach ball)을 사용한다.
③ 농구 : 골대의 높이를 올린다.
④ 수영 : 레인의 폭을 축소한다.

필수문제

14 지적장애인의 스포츠 지도에서 성공적인 과제수행을 돕기 위한 전략으로 적절하지 않은 것은?

① 강화제를 즉시 주기 어려울 때는 토큰을 주고 나중에 원하는 강화제와 교환하도록 한다.
② 문제행동의 예방을 위해 주의집중에 방해가 되는 장애물을 미리 제거한다.
③ 자해행동을 할 때는 신체 구속(physical restraint)을 통해 즉시 동작을 중단시킨다.
④ 중도(重度) 지적장애인에게는 구두 설명을 상세히 하고 전체 동작 시범을 보인다.

■중도 지적장애인에게 스포츠를 지도할 때에는 설명은 간단하게 하고, 전체 동작은 세부적으로 나눠서 부분별로 반복하여 설명·시범을 보여야 한다.

■지적장애인스포츠 지도전략(p. 60) 참조

심화문제

15 지적장애인에게 스포츠를 지도하는 방법 중에서 옳지 못한 것은?

① 쉬운 과제에서 어려운 과제 순으로 지도해야 한다.
② 언어지도 방법으로 지도해야 한다.
③ 시범지도 방법으로 지도해야 한다.
④ 직접지도 방법으로 지도해야 한다.

■지적장애의 정도에 따라서 지도방법이 달라야 하고, 장애 정도가 가장 심한 사람에게는 직접지도 방법을 사용해야 한다.

정답 12 : ②, 13 : ②, 14 : ④, 15 : ②

16 지적장애인을 위한 신체활동 지도전략으로 적절하지 않은 것은?

① 참여자의 활동을 지도자가 결정해준다.
② 활동을 단순화시키고 강화를 제공한다.
③ 학습 동기가 감소할 경우 활동내용에 변화를 준다.
④ 운동기술의 습득과 전이가 이루어지고 있는지 수시로 점검한다.

■ 지적장애인의 활동 내용은 참여자의 장애 정도에 따라 결정해야 하며, 지도자가 일방적으로 결정해서는 안 된다.

17 지적장애인에게 운동기술을 지도할 때 필요한 전략으로 적절하지 않은 것은?

① 활동을 단순화시키고 정적 강화를 제공한다.
② 익숙한 과제에서 새로운 과제의 순서로 지도한다.
③ 언어적 피드백과 시범은 복잡하고 추상적으로 제시한다.
④ 운동기술의 습득, 파지, 전이가 이루어지고 있는지 수시로 점검한다.

■ 지적 장애인에게는 복잡하고 추상적인 시범이나 언어적 피드백은 적절하지 않다(p. 60 참조).

18 지적장애인 체육활동 시 교육적 고려사항이 아닌 것은?

① 시범을 보이며 지도한다.
② 언어적 지도는 되도록 길게 하면서 지도한다.
③ 반복학습을 하며 지도한다.
④ 다양한 감각적 단서를 제공하며 지도한다.

■ 못 알아듣는데 설명만 계속하면 어떻게 되나?

필수문제

19 장애유형별로 실시한 체력프로그램으로 적절하지 않은 것은?

① 척수장애인에게 최대근력을 고려한 근력운동을 지도했다.
② 다운증후군 지적장애인에게 과신전 유연성 운동을 지도했다.
③ 과잉행동 주의력 결핍 장애인(ADHD)에게 유산소성 운동을 지도했다.
④ 청각장애인에게 비장애인과 똑같은 빈도로 심폐지구력 운동을 지도했다.

■ 다운증후군은 비장애인보다 21번 염색체가 1개 많은 3개가 있어서 생기는 유전질환이다. 다운증후군 아이들은 근육의 긴장도도 떨어져 있어서 과신전 유연성 운동은 무리할 수도 있다.

심화문제

20 다운증후군 지적장애인의 신체활동 지도전략으로 옳은 것은?

① 고관절의 과신전에 의한 부상에 주의한다.
② 손가락이 짧기 때문에 테니스와 같은 라켓 종목에는 참여시키지 않는다.
③ 팔의 근력이 약하기 때문에 머리를 바닥에 대고 물구나무서기를 하게 한다.
④ 심폐지구력의 강화를 위하여 달리기의 운동강도를 90% 이상으로 유지한다.

■ 지적장애인은 지능과 운동능력이 일반인보다 현저하게 낮으므로 조심해서 운동을 시켜야 한다.

정답 16 : ①, 17 : ③, 18 : ②, 19 : ②, 20 : ①

21 지적장애인의 인지적 특성을 고려한 스포츠 지도방법에 관한 설명으로 옳지 않은 것은?

① 사용할 수 있는 어휘가 한정되어 있으므로 간단하고 명료한 단어를 사용한다.
② 단기 기억력이 좋지 않으므로 다양한 규칙이 있는 스포츠를 지도한다.
③ 학습한 운동 기술의 일반화 수준이 낮으므로 운동기술을 다양한 환경에서 독립적으로 경험하게 한다.
④ 주의집중에 어려움이 있으므로 관련성 있는 단서에만 집중하게 한다.

■ 지적장애인은 단기 기억력이 좋지 않으므로 규칙이 복잡하면 경기를 할 수 없다.

22 축구 경기에서 발목을 삔 지적장애인에게 응급처치하였다. RICE 절차와 내용의 연결이 옳지 않은 것은?

① 휴식(rest) - 즉각적으로 부상 부위를 움직이지 않게 한다.
② 냉찜질(ice) - 얼음으로 부상 부위를 차게 해준다.
③ 압박(compression) - 붕대로 부상 부위를 감아서 혈액응고 및 부종을 예방한다.
④ 올림(elevation) - 부상 부위를 잡아당겨서 고정한다.

■ 올림은 부상부위를 심장보다 높은 곳에 위치시키는 것이다.
■ RICE 요법 : 근육골격계 손상 시의 응급처치법
R(rest, 휴식),
I(ice, 얼음찜질, 냉찜질),
C(compression, 압박),
E(elevation, 올림, 거상)

필수문제

23 주의력결핍 과잉행동장애(Attention Deficit Hyperactivity Disorder : ADHD)의 일반적인 특징으로 옳지 않은 것은?

① 동작이 서투르고 운동발달이 느리다.
② 낮은 지능과 미숙한 적응행동으로 인해 지적장애로 분류된다.
③ 정확한 운동 조절과 타이밍에 결함이 나타난다.
④ 뇌 전두엽 및 그 연결망의 이상으로 억제력, 작업기억, 실행기능 등에 어려움을 보인다.

■ ADHD 아동이 지능이 낮은 것인지 지능검사 자체를 수행하기 어려워서 지능이 낮게 나오는지 알지 못한다.
■ **ADHD의 특징** : 부적절한 대인관계, 이상한 행동습관, 혼자서 과제 수행 불가, 지시 불응, 규칙위반, 행동 예측 불가능, 무표정, 의사소통 부족 등

심화문제

24 정서장애는 장기간에 걸쳐 학습상의 어려움을 겪기 때문에 특별한 교육적 조치가 필요한 사람이다. 다음 중 정서장애인으로 볼 수 없는 것은?

① 개인문제에 관련된 신체적인 통증이나 공포를 나타내는 사람
② 언어의 수용 및 표현능력이 인지능력에 비하여 현저하게 부족한 사람
③ 일반적인 상황에서 부적절한 행동이나 감정을 나타내는 사람
④ 전반적인 불행감이나 우울증을 나타내는 사람

■ 말을 더듬는 사람은 장애인이 아니다.

25 다음 중 품행장애(CD)의 특성이 아닌 것은?

① 사람과 동물에 대한 공격성 ② 재산의 파괴
③ 사기 또는 도둑질 ④ 부주의

■ 부주의는 ADHD의 특성이다.

정답 21 : ②, 22 : ④, 23 : ②, 24 : ②, 25 : ④

필수문제

26 정서장애인의 스포츠 지도전략으로 옳은 것은?

① 반항적인 행동은 체벌을 통해서 지도한다.
② 긍정적 피드백을 통해서 바람직한 스포츠 참여행동을 지도한다.
③ 품행장애인은 폭력적이기 때문에 단체 스포츠에 참여시키지 않는다.
④ 주의력 결핍 과잉행동장애인은 휠체어에 결박하여 참여시킨다.

■ 정서장애인은 혼을 내면 더 말을 듣지 않는다.

필수문제

27 보기에서 설명하는 장애유형은?

보기
» 의사소통 : 유창한 말하기와 풍부한 어휘 능력을 가지고 있다.
» 사회적 상호작용 : 대화 중에 눈을 마주치거나 고개를 끄덕이는 행동을 어려워한다.
» 관심사와 특이행동 : 특정한 사물에 강한 관심을 나타내는 경향이 있다.
» 관계 형성 : 가족과의 애착이 형성될 수는 있으나 또래와의 관계 형성은 어려울 수 있다.

① 아스퍼거증후군 ② 뇌병변장애
③ 지체장애 ④ 시각장애

■ 아스퍼거증후군
(Aspergers syndrome)
· 발달장애의 일종으로 자폐 스펙트럼 장애(ASD)의 일종임.
· 다른 사람과 눈을 맞추거나 고개를 끄덕이는 행동이 잘 안 됨.
· 또래친구 사귀기가 힘듦.
· 자세 · 표정 등에 장애가 있음.
· 관심사에 너무 집착함.
· 상황에 맞지 않는 말을 너무 많이 함.

필수문제

28 자폐성장애인의 문제점과 해결할 수 있는 전략이 바르게 묶인 것은?

	문제점	해결 전략
①	부정적인 신체적 자아개념	불필요한 자극을 줄인다.
②	상동행동	지도 환경을 구조화하고 지도 방식의 일관성을 유지한다.
③	감각자극에 대한 비정상적인 반응	개인 활동에서 시작하여 단체 활동으로 발전시킨다.
④	의사소통의 어려움	언어적 단서를 줄이고 수업환경에서 자연스러운 단서를 활용한다.

■ 자폐성 장애인은 의사소통이 거의 되지 않는다. 이들을 지도할 때는 언어적으로 하기보다는 행동주의적 접근 방식을 활용하는 것이 좋다.

정답 23 : ②, 27 : ①, 28 : ④

심화문제

29 우리나라의 '장애인 등에 대한 특수교육법'에서 자폐성장애아동을 정의한 기준이 아닌 것은?

① 사회적 상호작용에 결함이 있음.
② 의사소통에 결함이 있음.
③ 반복적이며 상동적인 행동유형이 나타남.
④ 교육적 수행에는 별 영향이 없음.

■ ①, ②, ③의 행동을 보임으로써 교육적 성취 및 일상생활의 적응에 도움이 필요한 사람을 자폐성장애인이라고 한다.

30 자폐성장애아동의 특성 또는 행동이 아닌 것은?

① 의사소통의 어려움
② 사회적 상호작용의 어려움
③ 상동 행동
④ 관심 끌기
⑤ 규칙 위반

■ 자폐성장애아동은 의사소통이 어려워 사회적 상호작용이 힘들고, 상동행동을 하며, 제한적이고 반복된 행동으로 관심을 끌려는 경향이 있다.
■ **상동 행동** : 별다른 의미가 없는 신체행동을 반복적으로 하는 것.

31 자폐성 장애인이 특정 행동이나 동작을 습관적으로 반복하는 행동은?

① 일상행동 ② 돌출행동
③ 상동행동 ④ 진단행동

■ 같은 행동을 반복하는 것은 상동행동이다.

필수문제

32 자폐성장애인의 스포츠 지도전략으로 틀린 것은?

① 언어적 지도와 비언어적 지도를 병행한다.
② 지도자가 학습자의 행동을 말로 표현해 준다.
③ 사회적 관계형성을 익히도록 한다.
④ 환경적 단서(cue)보다 언어적 단서가 효과적이다.

■ 자폐성 장애인 지도에서는 환경적 단서가 언어적 단서보다 효과적이다. 자폐성 장애인은 사회적 관계 형성이 잘 되지 않으므로 익힐 필요가 있다.

심화문제

33 자폐성 장애인의 특성을 고려한 지도전략으로 적절한 것은?

① 자연스러운 단서보다 언어적 단서를 주로 사용한다.
② 그림카드를 활용하여 시각적 단서를 제공한다.
③ 환경의 비구조화를 통해 다양한 신체활동을 제공한다.
④ 신체활동 순서와 절차를 바꾸면서 흥미를 준다.

■ 자폐성 장애인의 스포츠 지도 시에는 시각적 단서 제공이 적절한 방법이다.

정답 29 : ④, 30 : ⑤, 31 : ③, 32 : ④, 33 : ②

05 Chapter 시각장애 · 청각장애의 특성 및 스포츠 지도 전략

시각장애

1 시각장애의 정의

장애인 등에 대한 특수교육법에서는 시각계의 손상이 심하여 시기능을 전혀 이용하지 못하거나 보조 공학기기의 지원을 받아야 시각적 과제를 수행할 수 있는 사람을 시각장애인이라 한다.

▶ 의학적 정의

맹	1/3m 이내에서 안전지수를 판별하지 못하는 경우(시력 0.02 미만).
준맹	양안 교정시력이 0.02~0.04 미만.
약시	양안 교정시력이 0.03~0.3 미만

▶ 법적 정의(미국)

맹	좋은 눈의 교정시력이 20/200 이하이거나, 또는 20/200 이상일 경우에 시야가 20도 이하인 경우.
저시력	좋은 눈의 교정시력이 20/200 이상 20/70 미만.

▶ 교육적 정의

맹	시력을 사용하지 않고 청각과 촉각 등을 사용하여 학습하는 아동
저시력	학습자료, 학습환경 등을 변형하지 않으면 시력을 통한 학습에 어려움을 받는 아동

2 시각장애의 분류

국제분류		
약자	영문명	한글명
VI	visual impairment	시각손상
VD	visual disability	시각불능
VH	visual handicap	시각장애
VL	visual limitation	시각적 제한
	partially sighted	약시

재활 및 교육		
한글명	영문명	설명
전맹(완전실명)	blind	시력이 전혀 없음
광각	light perception	암실에서 광선 인식
수동	hand movement	눈 앞에서 좌우로 움직이는 손을 알아본다.
지수	finger counting	1미터 전방에서 손가락수를 셀 수 있다.
저시력	low vision	책을 읽지 못할 수도 있지만 시력으로 일상생활을 할 수 있다.

3 저시력과 약시의 비교

저시력 (Low vision)	두 눈에 발생, 안질환에서 오는 안구조직의 변화로 인한 시력 장애, 최대 교정시력이 0.3 이하, 시야협착이 20도 이내.
약시 (amblyopia)	눈 자체에 특별한 질병이 없는데도 불구하고 어떠한 방법으로도 시력이 교정되지 않는 상태, 보통 최고 시력이 0.7 이하이거나 두 눈의 시력이 시력표 상 2줄 이상 차이가 나는 경우.

4 시각장애의 원인

시각정보 유입의 문제	각막손상, 굴절이상, 안구건조증 등으로 시각정보가 제대로 유입되지 못해서 시각장애가 발생하는 경우.
망막 조직세포의 이상	물리적인 충격에 의해서 망막이 손상되거나, 합병증으로 망막이 손상되어 시각장애가 발생하는 경우.
시신경의 손상	망막에서 대뇌의 시각피질까지 신호를 전달하는 신경계통에 이상이 생겨서 시각장애가 발생하는 경우.

5 시각장애의 종류(원인에 따른 분류)

중심시력 장애	시야에 있는 물체를 상세한 부분까지 구분해내는 능력을 '중심시력'이라고 한다.
굴절이상	눈의 굴절에 이상이 생겨서 초점을 제대로 잘 맞추지 못하는 것으로, 원시, 근시, 난시, 노안 등이 있다.
눈 손상	백내장이나 녹내장과 같은 눈 질환으로 시각장애를 입은 경우
중추성 시각장애	시신경교차에서부터 대뇌의 시각 피질 사이에 있는 신경이 손상되어서 발생되는 시각장애. 시각피질의 손상도 포함된다.
약시	망막질환이나 시신경 질환에 의해서 발생한다. 특별한 질환이 없어도 굴절이상 때문에 두 눈의 시력이 크게 차이가 나면 **부동성 약시**라고 한다.

6 시각장애아동의 행동특성

지적 특성	지적인 능력 면에서 비장애아동과 큰 차이가 없지만, 이를 개발할 수 있는 기회의 부족으로 실제적인 수행 면에서 약간 뒤진 경향을 보인다.
신체적 특성	신체발달은 비장애아동과 유사하지만 시력손상으로 인해서 간접적인 영향을 받는다.
사회 · 정서적 특성	사회 · 정서 발달이 늦다는 연구도 있고, 그렇지 않다는 연구도 있어서 일률적으로 이야기하기는 어렵다.
언어적 특성	이야기하는 속도가 느리고, 음을 조절하지 못해서 크게 이야기하며, 억양에 변화가 없고, 몸짓과 얼굴표정을 덜 사용하며, 발음할 때 입술을 덜 움직인다.
행동 특성	보폭을 줄여서 걷거나 한쪽 방향으로 기울인 자세로 걷는다. 몸이 경직되어 바른 자세를 취하지 못한다. 눈을 자주 비비거나 깜박거린다.

7 시각장애아동의 스포츠 지도전략

체력과 운동수행 능력이 또래의 비장애아동보다 약간 낮다. 그것은 시각장애아동들이 운동에 참가할 기회가 적고, 사고의 위험을 걱정하는 보호자에 의해 신체활동이 제약되기도 하며, 시각장애아동 본인이 신체활동에 소극적이기 때문이다.

시각장애아동에게 스포츠를 지도할 때에는 다음과 같은 지도전략을 적절히 구사하여야 한다.

☞ 체력과 운동발달 속도가 비장애아동보다 약간 느리다는 것을 고려해야 한다.

☞ 약시인 아동은 현존 시각능력을 고려해서 지도해야 한다.

☞ 안전을 위한 환경 구성, 규칙 변형, 장비 변형에 신경을 많이 써야 한다.

☞ 스포츠활동을 시작하기 전에 환경을 탐색할 수 있는 시간을 주어야 한다.

☞ 가급적 장비들의 위치가 바뀌지 않도록 배려해야 한다.

☞ 환경, 장비, 방향 등을 반드시 언어로 자세하게 설명해야 한다.

☞ 평형성과 보행능력의 개선에 중점을 두어야 한다.

청각장애

1 청각장애의 정의

청각 경로의 어느 부분에 이상이 생겨서 듣는 데 어려움을 겪는 것을 청각장애라 한다. 청력의 손실 정도에 따라 '농'과 '난청'으로 구분하고, 농과 난청을 합하여 청각장애라고 한다.

청력은 데시벨(dB)이라는 단위로 나타내는데, 보통 사람이 들어서 감지할 수 있는 가장 작은 소리의 크기를 0데시벨이라 한다.

2 청각장애의 분류

▶ 생리학적 분류……90데시벨 이상으로 청력이 손실된 사람을 농, 그 이하로 청력이 손실된 사람을 난청이라 한다.

경도 청각장애	26~54데시벨
중등도 청각장애	55~69데시벨
등고도 청각장애	70~89데시벨
최중도 청각장애	90데시벨 이상

▶ 교육학적 분류……들을 수 있는 소리의 크기와 언어정보의 처리 능력을 고려해서 분류한 것이다.

청각장애	경도에서 최중도 청각장애까지를 모두 포괄하는 의미이다.
농	보청기를 착용하더라도 청각으로 언어정보를 성공적으로 처리할 수 없는 자.
난청	보청기를 사용하면 청각으로 언어정보를 처리할 수 있는 자.

▶ 특수교육진흥법 상의 분류

☞ 두 귀의 청력손실이 각각 90데시벨 이상인 자.

☞ 보청기를 착용하여도 음성언어에 의한 의사소통이 불가능하거나 곤란한 자.
☞ 청각의 기능적 활용이 불가능하여 비장애인과 함께 교육받기가 곤란한 자.

3 청각장애아동의 행동특성

언어발달	청각장애아동들은 일반적인 언어 획득에 상당히 어려움을 겪게 된다. 비장애 아동들과 똑같은 수준으로 언어가 발달하는 것은 거의 불가능하다.
지적 능력	청각장애아동과 비장애아동의 지적 능력에 차이가 있는지 결론짓기는 어렵다. 그러나 다음 3가지 면에서 청각장애아동들이 불리하다는 것은 분명하다. » 지능검사가 비장애아동과 의사소통이 잘 되는 사람들에 의해서 만들어졌고 또 실시되기 때문에 청각장애아동들에게는 적절하지 못할 수도 있다. » 청각장애아동들은 비장애아동들에 비하여 지적 발달을 위해서 적절한 자극을 받지 못한다. » 비장애아동 또는 비장애성인과 의사소통을 잘 못한다.
학업성취	학업성취 면에서 비장애아동들보다 수준이 낮다. 특히 읽기에서 어려움을 가장 많이 겪는다.
사회 · 정서적 발달	1980년대 이전에는 농 아동들이 의존성 · 사회적 미숙 · 자기중심성 · 충동성 등과 같은 부정적인 행동특성을 보인다고 주장하였지만, 그 이후에는 농 아동의 사회 · 정서적인 문제는 주위환경과의 상호작용에서 비롯되는 것으로 본다.
청각장애인의 농 문화	자신들만의 독특한 사회문화를 형성하고 있다. 자기들끼리의 공동체 의식이 있고, 자신들만의 행동규범과 가치관을 가지고 있으며, 청각장애인 사회를 위한 많은 자발적인 단체와 지원망을 가지고 있다. 자신들을 장애인으로 대하는 사회인식을 거부한다.

4 청각장애아동의 스포츠 지도전략

청각장애아동은 체력과 운동수행 능력에 있어서 같은 또래의 비장애아동에 비하여 별로 차이가 없고, 의사소통 이외에는 별로 제한점이 없으므로 대부분의 운동과 스포츠에 비장애인과 같은 규칙과 조건으로 참가할 수 있다. 그러나 핸디캡이 전혀 없는 것은 아니다. 예를 들어 청각으로 획득하는 여러 가지 정보를 시각정보 또는 다른 감각정보로 바꾸어야 한다.

청각장애아동들에게 스포츠는 자기표현의 장이 되기도 하고, 자신의 존재의식을 느끼고 동료와 교류할 수 있는 공동의 매개체가 되기도 한다. 청각장애아동에게 운동 또는 스포츠를 지도할 때에는 다음 사항을 주의해야 한다.

☞ 청각장애아동이 지도자의 입과 눈을 볼 수 있는 위치에 지도자가 있어야 한다.
☞ 청각장애아동을 등지고 설명하거나 시범을 보이면 안 된다.
☞ 청각장애아동의 의사소통 능력(구어 또는 수화)을 확인하여, 적절한 방법으로 소통해야 한다.
☞ 언어적인 설명보다는 시각적인 설명(시범)이 더 효과적이다.
☞ 격투기, 다이빙, 깊은 잠수, 근력을 위주로 하는 종목, 스카이 다이빙이나 행글라이딩 등은 피해야 한다.

필수 및 심화 문제

필수문제

01 보기에서 시각장애인의 심동적 특징에 대한 설명으로 바르게 묶인 것은?

보기
㉠ 상황이 수시로 변하는 운동 과제의 수행에 어려움을 보인다.
㉡ 대근운동기술보다 소근운동기술의 수행에 더욱 어려움을 보인다.
㉢ 발을 땅에 끌며 걷거나 구부정하고 경직된 자세를 보인다.
㉣ 걸을 때 보폭이 넓고 지면에 접촉하는 시간이 짧은 특징을 보인다.
㉤ 불필요한 동작을 하게 되어 더 많은 에너지를 소비하게 된다.

① ㉠, ㉡, ㉢ ② ㉠, ㉢, ㉤
③ ㉡, ㉢, ㉣ ④ ㉡, ㉣, ㉤

■ 시각장애인은 운동발달속도가 약간 느리다.
■ 시각장애인은 청각·촉각이 예민하므로 소근육운동을 잘 수행한다.
■ 몸이 경직되어 바른 자세를 취하지 못한다.
■ 보폭이 좁고 지면에 접촉시간이 길다.
■ 불필요한 동작이 많다.

필수문제

02 시각장애와 관련된 설명으로 옳은 것은?

① 시력(visual acuity)은 시각을 사용하여 과제를 수행하는 능력이다.
② 시각(vision)은 눈을 통해 빛의 자극을 받아들이는 과정이다.
③ 약시(amblyopia)는 터널 속에서 터널 입구를 바라보는 모양으로 시야가 제한된 상태이다.
④ 법적맹(legally blind)은 교정시력이 20/20 ft 이하이거나 시야가 20 이하인 상태이다.

■ **시력** : 물체의 존재나 형상을 인식하는 눈의 능력
■ **약시** : 눈 자체에 특별한 질병이 없는데도 불구하고 어떠한 방법으로도 시력이 교정되지 않는 상태
■ **법적맹** : 일반적으로 스넬렌시력표에서 시력이 6/60이나 20/200 이하이거나 또는 좋은 눈의 시야가 20도 이하로 감소한 상태(법적 실명의 정의 기준은 집단별로 다양함).

심화문제

03 시각장애인의 특성이 아닌 것은?

① 체력 : 건강체력과 운동체력 모두 비장애인에 비하여 약간 뒤짐.
② 운동발달 : 대체로 비장애인과 비슷하지만 발달속도가 느림.
③ 신체상 : 시각이 아닌 촉각·청각· 운동감각 등을 사용하기 때문에 제한적인 신체상을 가짐.
④ 보행 : 보행속도는 느리지만, 방향성과 안정성은 비장애인과 유사함.

■ 보이지 않는데 어떻게 방향을 잘 찾아가겠는가?

정답 01 : ②, 02 : ②, 03 : ④

■ 시각장애는 B1(전맹), B2(준맹), B3(약시)로 나눈다. 일반적으로 장애인의 스포츠 등급은 알파벳 1~2자와 숫자로 구성되어 있다. 알파벳은 장애 유형 또는 경기종목을 나타내고, 숫자가 적을수록 중증장애인들의 경기이다.

■ 시각장애인의 스포츠 지도전략
- 약시인 사람은 현존 시각능력을 고려해서 지도
- 안전을 위한 환경 구성, 규칙 변형, 장비 변형 등
- 스포츠활동을 시작하기 전에 환경을 탐색할 수 있는 시간 제공
- 가급적 장비들의 위치가 바뀌지 않도록 배려
- 환경, 장비, 방향 등을 반드시 언어로 자세하게 설명
- 평형성과 보행능력의 개선에 중점을 둔 지도

■ 시각장애인의 신체활동 지도에서 주거환경은 사전에 알아야 할 정보가 아니다.

■ 시각장애인에게 스포츠를 지도할 때는 청각적인 단서를 활용해야 한다. 이때 소리를 내는 기구의 위치가 바뀌면 안 된다.

■ 시각장애인 스포츠 지도 전략(p. 73) 참조.

04 시각장애인은 스포츠 활동을 할 때 B1, B2, B3 세 가지 등급으로 나뉜다. 각자의 기능적 능력이 올바른 것은?

① B1에서 B3로 갈수록 장애 정도가 심하다.
② B1은 시야가 5도 이상 20도 이하인 경우다.
③ B2는 시야가 5도 이하인 경우다.
④ B1은 손의 형태를 인지할 수 있는 단계에서부터 시력이 2/60m 이다.

필수문제

05 보기에서 시각장애인을 지도할 때 고려사항이 바르게 묶인 것은?

보기
㉠ 경기장을 미리 돌아보게 한다.
㉡ 장비의 모양, 크기, 재질 등을 알 수 있도록 한다.
㉢ 방향정위를 위해 목소리, 나무 방울 혹은 자동 방향 감지기 등을 사용한다.
㉣ 높이뛰기, 멀리뛰기와 같은 도약 경기에 참가하는 선수에게는 걸음걸이를 미리 세어보도록 한다.

① ㉢, ㉣ ② ㉠, ㉡, ㉢
③ ㉠, ㉡, ㉣ ④ ㉠, ㉡, ㉢, ㉣

심화문제

06 시각장애인의 신체활동 지도를 위해 사전에 알아야 할 정보가 아닌 것은?

① 시력 상실의 원인 ② 시력 상실의 시기
③ 잔존시력 정도 ④ 주거환경

필수문제

07 시각장애인에게 축구를 지도할 때 적용할 수 있는 변형의 사례로 적절한 것은?

① 경기력 향상을 위하여 매일 비장애인팀과 게임을 하였다.
② 참여를 촉진하기 위해 일반 축구의 규칙 변형을 최소화하였다.
③ 경기 중 부상의 위험을 줄이기 위해 경기장 규격을 확대하였다.
④ 구슬이 들어간 공과 소리가 나는 골대를 설치하고 주변 소음을 차단하였다.

정답 04 : ③, 05 : ④, 06 : ④, 07 : ④

필수문제

08 시각장애인을 위한 신체활동 지도법으로 옳지 않은 것은?

① 독립성을 기르기 위해 청각 및 촉각을 활용하지 않도록 습관화하여야 한다.
② 과제의 전체 동작과 부분 동작을 순서대로 시범 보인다.
③ 신체적 가이던스(physical guidance)의 강도를 점진적으로 줄인다.
④ 동작의 확인을 돕기 위해 '만져서 자세를 확인하는 방법(brailing)'을 사용한다.

■ 시각장애인에게 스포츠를 지도할 때에는 소리가 나는 공이나 배트 등을 활용하고, 언어지도→촉각탐색→직접지도의 단계를 거친다.

심화문제

09 시각장애인의 스포츠활동 방법에 대한 설명으로 옳지 않은 것은?

① 레슬링 : 서로 떨어지지 않고 상대 선수를 붙잡은 상태로 경기한다.
② 볼링 : 핸드 가이드 레일을 이용할 수 있다.
③ 2인용 자전거타기 : 시각장애인이 앞자리에 앉고 비장애인이 뒷자리에 앉아 방향 조정을 돕는다.
④ 양궁 : 음향신호, 점자 방향 지시기, 발 위치 표시기 등을 사용할 수 있다.

■ 자전거의 핸들을 조작하려면 비장애인이 앞에 타야 한다.

10 시각장애인을 위해 고안된 종목이 아닌 것은?

① 쇼다운(showdown)
② 골볼(goalball)
③ 텐덤 사이클(tandem cycling)
④ 보체(bocce)

■ 쇼다운, 골볼, 텐덤 사이클은 시각장애인 스포츠이고, 보체는 보치게임(잔디에서 하는 이탈리아의 볼링)

11 시각장애인의 운동특성으로 적절하지 않은 것은?

① 비장애인보다 보폭이 큰 편이다.
② 비정상적인 자세를 가지고 있는 경우가 많다.
③ 비장애인보다 감각운동과 협응력이 떨어지는 편이다.
④ 상동행동이 나타날 수 있다.

■ 시각장애인은 비장애인보다 보폭이 좁다.

12 시각장애인이 5인제 축구를 할 때에 골대의 위치, 경기장 밖의 구조물(펜스) 등을 파악하여 자신의 위치를 알아가는 과정은?

① 방향정위 ② 신체상
③ 활동안내 ④ 이동 방향 정립

■ **방향정위**는 시각장애인이 주위 환경을 이해하여 자신의 현재 위치를 파악하는 정신적인 과정

정답 08 : ①, 09 : ③, 10 : ④, 11 : ①, 12 : ①

13 백내장으로 인한 양안의 교정시력이 0.02인 시각장애인에게 농구를 지도하기 위한 전략으로 옳은 것은?

보기
㉠ 농구공은 바닥의 색과 대비되도록 한다.
㉡ 시각의 사용을 줄여서 시력 감퇴를 예방한다.
㉢ 시각 자료는 확대하고 촉각 자료도 활용한다.
㉣ 충돌에 의한 부상의 위험이 있으므로 시합에는 참여시키지 않는다.

■ 시력이 0.02이면 농구공을 볼 수 있다.

① ㉠, ㉢　　② ㉠, ㉣　　③ ㉡, ㉢　　④ ㉢, ㉣

필수문제

14 보기의 ㉠, ㉡, ㉢에 해당하는 수어의 의미를 바르게 나열한 것은?

보기

㉠ 
◀두 주먹을 양어깨 앞에서 위로 올렸다 내리는 동작

㉡ 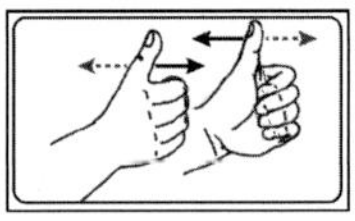
◀두 주먹의 엄지를 펴서 그 끝이 위를 향하게 하여 약 5cm의 간격을 두고 서로 어긋나게 전후로 움직이는 동작

㉢ 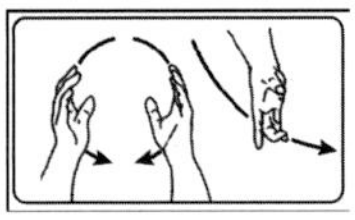
◀두 손으로 공 모양을 만든 다음, 오른손으로 잡고 밀어 던지는 동작

	㉠	㉡	㉢
①	체육(운동)	달리기	볼링
②	역도	복싱(권투)	배구
③	역도	복싱(권투)	볼링
④	체육(운동)	달리기	배구

■ **스포츠 종목별 수어**
· **체육**(운동, 체조) : 두 주먹을 양쪽 어깨 앞에 위치하고 팔운동을 하는 것처럼 위로 올렸다 내린다.
· **달리기** : 두 주먹을 쥐고 엄지를 펴서 그 끝이 위를 향하게 한다. 두 손을 대략 5cm 간격으로 나란히 세워서 서로 엇갈리도록 앞뒤로 움직인다(마라톤의 경우는 달리는 동작을 천천히 한다).
· **볼링** : 두 손으로 공모양을 표현한 다음 오른손으로 볼링공을 잡는 것과 같이 표현한 후 공을 잡아서 밀어던지는 동작을 취한다.
· **역도** : 두 주먹을 쥐고, 손등이 앞을 보이도록 하여 역도바가 있다고 가정하고 허리에서부터 머리 위까지 역기를 들어올리는 동작을 취한다.
· **복싱**(권투) : 두 손으로 잽을 날리는 동작을 한다.
· **배구** : 두 손을 펴서 손바닥은 밖을, 손끝은 위를 향하게 한 후 공을 위로 쳐올리듯이 뻗어올린다.

정답　13 : ①, 14 : ①

필수문제

15 보기의 수어가 나타내는 스포츠 종목은?

보기

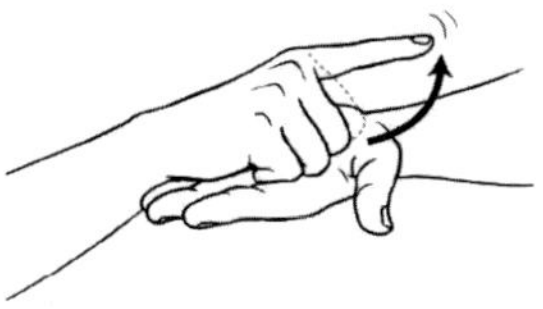

왼손바닥을 위로 향하게 펴고, 오른 주먹의 손등이 위로 향하게 하여 왼 손바닥 위에 올려놓고, 오른손의 검지를 튕기며 편다.

① 휠체어농구 ② 권투 ③ 탁구 ④ 축구

필수문제

16 최근 장애인복지법에서 규정하고 있는 청각장애의 판정 기준으로 틀린 것은?

① 두 귀의 청력 손실이 각각 40데시벨(dB) 이상
② 한 귀의 청력 손실이 80데시벨(dB) 이상이며, 다른 한 귀의 청력 손실이 40데시벨(dB) 이상
③ 두 귀에 들리는 보통 말소리의 명료도가 50% 이하
④ 평형기능의 상당한 장애가 있는 경우

■ 귀의 청력 손실이 40dB 이상이면 장애인복지법 상으로는 청각장애인이 아니다.

심화문제

17 장애인복지법에서 '농'으로 판정하는 청력기준은?

① 26dB 이상 ② 90dB 이상 ③ 86dB 이상 ④ 71~90dB

■ 청각장애의 정도가 90dB 이상이면 '농'으로 판정한다.

필수문제

18 보기에서 설명하는 청각장애의 유형은?

보기
㉠ 소리의 왜곡은 없지만 희미하게 들린다.
㉡ 후천성인 경우가 많아 수화보다는 구화나 보청기를 주로 사용한다.
㉢ 청각신경 손상보다는 소리를 외이에서 내이로 전달하는 과정의 문제로 발생한다.

① 혼합성(mixed) ② 전음성(conductive)
③ 감소성(reductive) ④ 감음신경성(sensorineural)

■ 소리를 외이에서 내이로 전달한다는 말을 한문으로 쓰면 전음(傳音)이다.

정답 15 : ④, 16 : ①, 17 : ②, 18 : ②

심화문제

19 청각장애인에 관한 설명으로 옳지 않은 것은?

① 지필 대화를 할 수 있다.
② 부정확한 발음은 즉시 교정해 준다.
③ 눈을 마주 보고 대화를 한다.
④ 수어통역사가 있더라도 가능하면 직접 대화한다.

■ 청각장애인에게는 부정확한 발음의 교정보다 구화나 수어 등의 적절한 의사소통 방법을 활용한다.
■ 청각장애아동의 스포츠 지도전략(p. 74) 참조

20 청각장애인이 비장애인에 비해 운동 수행력이 낮은 이유로 적절하지 않은 것은?

① 청각장애로 언어훈련에 힘쓰느라 운동 경험이 부족하다.
② 어휘력의 발달이 부족하여 신체활동을 바르게 이해하지 못하는 경우가 발생한다.
③ 청각장애로 의사소통에 어려움이 있기 때문에 신체활동 참여 기회가 적다.
④ 청각장애는 지적기능의 손상을 동반하기 때문에 운동수행을 정확히 이해하기 힘들다.

■ 청각장애가 있다고 해서 지적기능에 손상이 생기는 것은 아니다.

21 청각장애인에게 신체활동을 지도할 때의 유의점으로 적절하지 않은 것은?

① 인공와우 수술을 받은 청각장애인은 정전기를 유발할 수 있는 기구를 사용하지 않게 한다.
② 신체활동 지도에 필요한 수어를 사용할 수 있도록 준비한다.
③ 인공와우 수술을 받은 청각장애인은 축구와 레슬링 같은 활동을 피하게 한다.
④ 과장된 표정과 입술 모양은 부담을 줄 수 있으므로 구화보다는 수어 사용에 중점을 둔다.

■ 청각장애인에게는 언어적 설명보다 시각적인 설명(시범)이 더 효과적이다.

필수문제

22 장애유형별 스포츠지도 전략으로 적절하지 않은 것은?

① 척수장애인은 신경손상으로 인한 이상 반응에 대비해야 한다.
② 저시력 장애인이 잔존시력을 효과적으로 활용하도록 밝은 곳에서 지도한다.
③ 보청기를 착용한 청각장애인은 수영할 때에도 계속 착용하도록 지도한다.
④ 지적장애인에게는 단순한 과제에서 복잡한 과제의 순서로 제시한다.

■ 수영장과 같이 시끄러운 곳에서는 보청기 사용이 좋지 않고, 또 보청기가 물에 빠질 수도 있다.

정답 19 : ②, 20 : ④, 21 : ④, 22 : ③

심화문제

23 청각장애 체육활동 지도 시 특수체육 지도자의 고려사항으로 적절하지 않은 것은?

① 지도자는 태양을 등지고 설명한다.
② 심한 소음이나 시각적 자극이 많은 곳은 가급적 피한다.
③ 정확한 입모양으로 큰소리로 상황을 설명한다.
④ 프로그램 시작은 익숙한 것부터 시작한다.

■ 태양을 등지면 지도자가 잘 볼 수 있다.

24 청각장애인의 스포츠활동 지도법에 대한 설명으로 옳지 않은 것은?

① 대화할 때 항상 시선을 맞추고 대화한다.
② 필요하면 대화를 위해 필기도구를 준비한다.
③ 청각장애인이 명확히 이해하고 있는 수신호만을 이용한다.
④ 통역사를 보고 청각장애인에게 질문한다.

■ 청각장애아동의 스포츠 지도전략(p. 74) 참조

25 시각장애인을 위한 스포츠지도 전략으로 적절하지 않은 것은?

① 저시력일 경우에는 청각과 촉각에만 의존하여 학습하도록 한다.
② 지도자와 성별이 다른 경우에는 신체 접촉에 대한 주의를 기울여야 한다.
③ 시각장애인이 놀라지 않도록 신체적 가이던스(physical guidance)를 제공하기 전에 미리 알려준다.
④ 전맹일 경우에는 시범을 보이는 지도자의 자세를 자신의 손으로 확인하도록 한다.

■ 저시력인 경우에는 현존하는 시각능력을 고려해서 지도해야 한다.

정답 23 : ①, 24 : ④, 25 : ①

06 Chapter 지체장애 · 뇌병변장애의 특성 및 스포츠 지도 전략

지체장애

1 지체장애의 정의

지체장애란 골격, 근육, 신경계 중 어느 부분에 질병이나 외상으로 인하여 몸통, 상지 및 하지에 장애가 있는 상태를 말한다.

장애인 등에 대한 특수교육법	기능 · 형태상 장애를 가지고 있거나, 몸통을 지탱하거나 팔다리의 움직임 등에 어려움을 겪는 신체적 조건이나 상태로 인해 교육적 성취에 어려움이 있는 사람.
한국특수교육학회	원인에 관계없이 체간 및 사지 기능의 부자유로 인하여 그대로 두면 장차 자활이 곤란한 사람.
장애인복지법	» 한 팔, 한 다리 또는 몸통의 기능에 영속적인 장애가 있는 사람. » 한 손의 엄지손가락을 지골관절 이상의 부위에서 잃은 사람. 또는 한 손의 둘째손가락을 포함한 두 개 이상의 손가락을 모두 제1지골 관절 이상의 부위에서 잃은 사람. » 한 다리를 리스프랑관절(족근–종족관절) 이상의 부위에서 잃은 사람. » 두 발의 발가락을 모두 잃은 사람. » 한 손의 엄지손가락 기능을 잃은 사람 또는 한 손의 둘째손가락을 포함한 손가락 두 개 이상의 기능을 잃은 사람. » 왜소증으로 키가 심하게 작거나 척추에 현저한 변형 또는 기형이 있는 사람. » 위 각 목의 어느 하나에 해당하는 장애정도 이상의 장애가 인정되는 사람.

2 지체장애의 분류

척수 손상	척추 또는 척수신경의 질환이나 상해로 유발됨(소아마비, 이분척추, 척주편위 등). 손상된 척수의 위치가 높을수록 신체마비의 범위가 넓음.
절단장애	팔이나 다리가 선천적으로 없거나 후천적으로 상실한 유형.
관절장애	해당 관절의 강직, 근력의 약화 또는 마비, 관절의 불안정 등으로 운동에 제한이 있는 유형.
신체기능장애	신체의 일부 또는 전부를 움직일 수 없거나, 움직일 수 있어도 조절이 되지 않고, 약화된 상태. 팔 · 다리의 기능장애와 척수장애로 대별된다.
신체변형장애	척추나 상 · 하지의 형태가 변형되어서 기능적 장애가 있는 경우로, 다리길이의 단축, 척추의 만곡, 왜소증 등이 포함된다.

3 지체장애아동의 행동특성

지체장애아동은 장애 원인과 상태가 다르기 때문에 이들의 일반적인 특성을 이끌어내기는 쉽지 않다.

학업성취	지체장애아동의 대부분은 비장애아동과 지능에는 차이가 없다. 그러나 학업성취 면에서 같은 연령의 비장애아동보다 떨어질 수 있다.
의사소통	지체장애학생의 대부분을 차지하고 있는 뇌성마비아동은 약 85~90%가 말과 의사소통에 장애를 가지고 있다. 선천성 운동장애를 가진 지체장애아동들은 대개 말하기능력과 언어능력이 정상이지만, 읽기와 쓰기에 어려움을 겪는다.
사회 · 심리적 인 문제	지체장애학생은 성격이상, 정서적 불안정이나 사회적 부적응 현상을 보이기 쉽다.

4 지체장애아동의 스포츠 지도전략

지체장애의 증상은 대부분이 운동기능 장애와 감각기능 장애이다. 그러므로 대부분의 지체장애아동들은 수술→의학적 재활→운동재활을 거친 다음 맨마지막으로 스포츠활동의 단계에 들어서게 된다.

- ☞ 거의 대부분 용 · 기구나 규칙의 변형이 필요하다.
- ☞ 절단부위의 근육을 강화하기 위한 운동, 대근운동 능력 향상을 위한 운동 위주로 지도해야 한다.
- ☞ 낙상방지와 평형성과 보행능력 향상을 위한 운동을 권장한다.

뇌병변장애

1 뇌병변장애의 정의

뇌성마비, 외상성 뇌손상, 뇌졸중 등 뇌의 기질적 병변으로 인하여 발생한 신체적 장애이다. 마비의 정도 및 범위, 불수의 운동의 유무, 이동능력과 일상생활 동작의 수행능력의 평가로 판정한다.

2 뇌병변장애의 분류

뇌성마비	세균에 의한 병이 아니고, 뇌의 일부분이 손상되어 수의적 운동기능장애를 일으키는 신경근육계통의 결함이다.
뇌졸중	뇌경색이나 뇌출혈에 의해서 뇌의 일부분에 혈액을 공급하지 못하여 뇌가 손상되어 나타나는 증상이다.
외상성 뇌손상	일시적으로(몇 초에서 몇 분 동안) 뇌 기능(의식, 인지, 감각, 운동 등)의 감소 혹은 소실된 상태를 의미하고, 뇌진탕이라고도 한다.
파킨슨병	뇌의 흑질에 분포하는 도파민의 신경세포가 점차 소실되어 발생하는 신경계의 만성 진행성 퇴행성 질환이다.

3 뇌성마비의 증상

뇌성마비는 뇌의 손상은 더 이상 진행되지 않지만 신체적인 증상은 시간의 흐름에 따라 끊임없이 변하게 된다. 경직형과 운동장애형으로 분류할 수 있다.

4 뇌성마비의 분류

경직성 뇌성마비	운동피질과 추체계의 손상으로 근육이 과다긴장되어 상하지 근육이 갑자기 강하게 수축하는 것. 편마비, 양하지마비, 사지마비로 구분됨.
무정위운동성 뇌성마비	대뇌기저핵의 손상에 의해 사지가 불수의적으로 불규칙하게 움직이는 것. 곰지락 운동형.
운동실조성 뇌성마비	소뇌의 손상에 의해 평형성과 협응력에 이상이 나타나는 것.
혼합성 뇌성마비	경직성과 무정위운동성이 혼합되어 사지에 모두 침범하는 것.
경련성 뇌성마비	근육의 장력이 증가함으로써 근육의 움직임이 둔해지고 과다긴장상태가 되는 것.
진정성 뇌성마비	운동을 할 때 몸의 일부가 불수의적으로 떠는 것.

5 뇌졸중의 초기증상

뇌졸중은 갑작스럽게 죽거나, 정신적 또는 신체적으로 장애가 생길 수 있는 무서운 질병이다.

☞ 한쪽 팔이나 다리에 갑자기 힘이 빠지거나 저림 현상이 나타나고,

☞ 말을 갑자기 잘하지 못하거나 못 알아듣는 현상이 생기기도 하며,

☞ 발음이 둔해지거나 때로는 극심한 어지럼증이 나타나기도 한다.

☞ 중심을 못 잡아서 술에 취한 섯처럼 비틀대기도 하며,

☞ 갑자기 한쪽 시력이 떨어져 앞이 잘 안 보이기도 한다.

6 외상성 뇌손상의 증상

머리에 충격이 가해져서 의식, 인지, 감각, 운동 등에 문제가 나타나는 질환이다.

인지 증상	집중력 부족, 학습 장애, 기억상실, 우울증, 수면장애, 청력 및 시력 장애 등이 나타날 수 있다.
행동 증상	충동, 무관심, 부적절한 반응 등이 나타날 수 있다.

7 파킨슨병의 증상

떨림	편안한 상태에 있을 때 손가락이나 손목관절과 같은 말단 관절에 율동적 떨림이 나타난다.
경직	근육의 긴장도가 증가되고 관절을 수동적으로 움직이면 경직이 관찰된다.
운동완만	움직임이 느린 상태를 말한다. 단추 잠그기나 글씨 쓰기와 같은 세밀한 작업 활동에 어려움을 겪고, 걸을 때 팔 흔들기가 자연스럽지 않다. 얼굴에 표정이 없는 현상을 초래하기도 하는데, 이를 '표정감소'라고 부른다.
자세불안정	파킨슨병이 어느 정도 진행되면 점차 자세의 변화가 일어난다. 전형적인 파킨슨병 자세는 구부정하게 있는 것이다. 몸의 균형을 상실한 상태를 자세 불안정성이라 하고, 병이 더 진행되면 반사능력이 떨어져 자주 넘어지게 된다.

임상적 증상	자율신경계통 증상(침 흘림, 삼킴 곤란), 인지기능 장애, 수면 장애, 기립 빈혈, 다한증, 배뇨 장애, 성기능 장애, 안구건조증 등이 있다.

8 뇌병변장애아동의 행동특성

☞ 뇌병변장애아동들은 자신에 대한 부정적인 감정이 많고, 또래 관계 형성에 어려움을 느끼며, 학교생활에 부적응을 겪고 있는 경우가 많다.

☞ 무기력한 의존성, 자기불신, 불안증세 등의 패배적인 입장을 나타내기도 한다.

☞ 심리적 문제를 경험하면서 외부인과의 접촉을 기피하는 경향도 있다.

☞ 열등감, 현실도피, 자기중심적이 되어 인간관계에 있어서도 융통성이 없게 되고 심각한 경우 성격장애까지 동반할 수 있다.

9 뇌병변장애아동의 스포츠 지도전략

☞ 일단 손상된 뇌를 다시 회복시킬 수는 없다.

☞ 아직 손상되지 않은 신경계가 제기능을 다할 수 있도록 적절하게 구성되고, 계획된 운동프로그램을 실시해야 한다.

☞ 스포츠활동을 통해서 신체기능을 회복하는 것은 불가능하고, 더 나빠지는 것을 예방하는 것을 목표로 운동을 지도해야 한다.

☞ 상당수가 복합적인 장애를 가지고 있으므로 운동능력을 면밀히 평가하여 운동기능을 촉진할 수 있는 프로그램을 구성해야 한다.

☞ 기술을 빠르게 수행하도록 요구한다거나 경쟁적 압박을 하지 않는 것이 중요하다.

☞ 이완시키는 방법을 가르치는 데 주력한다.

☞ 칭찬과 용기를 효과적으로 사용하는 것이 좋다.

☞ 운동능력에 맞도록 규칙이나 활동을 변형시킬 필요가 있다.

필수 및 심화 문제

필수문제

01 척수장애의 장애정도가 가장 심한 것은?

① 목뼈(경추, cervical vertebrae) 1번과 2번 사이 손상
② 목뼈(경추, cervical vertebrae) 6번과 7번 사이 손상
③ 등뼈(흉추, thoracic vertebrae) 1번과 2번 사이 손상
④ 등뼈(흉추, thoracic vertebrae) 11번과 12번 사이 손상

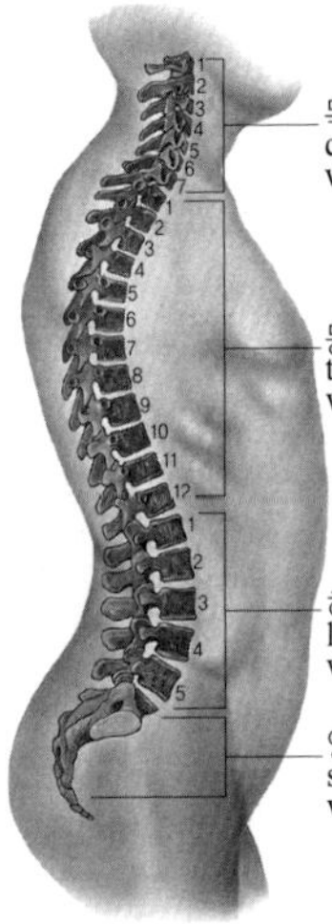

■ 척추손상의 부위에 따른 감각 및 운동기능 장애

척추부위		운동기능 장애	감각 장애
목뼈	C1~C3	운동기능 없음. 호흡 유지	팔감각, 유두 위 3인치까지 감각 손실
	C4	· 팔, 몸통, 다리의 수의적 기능 상실 · 휠체어 사용 불가능	가슴벽 전방 상부의 감각 존재
	C5	어깨세모근, 위팔두갈래근 기능 잔존	가슴부위 전방 상부와 어깨에서 팔꿉관절 가쪽면까지 감각 존재
	C6	· 노쪽손목 기능 · 전동휠체어 조작 가능	팔 전체 가쪽면과 엄지 · 검지 · 중지의 절반에 감각 존재
	C7	어깨세모근, 손목굽힘근 · 폄근 기능	가운데손가락에 감각 존재
	C8	팔 기능 정상, 잡기 동작은 어려움	팔 가쪽면 전체, 손 전체, 아래팔 안쪽 팔꿉관절
등뼈	T1	팔 기능 정상, 하반신 마비	전체 팔, 유두 부위, 가슴부위 전면 정상
허리뼈	L4	엉덩관절 굽힘근 · 모음근 · 넙다리네갈래근 정상, 앞정강근 운동기능, 발목 · 볼기근육 강화	넓적다리부위 모두, 종아리부위의 안쪽면 및 발 감각 정상
	L5	중간볼기근 · 안쪽 햄스트링 부분적 기능, 큰볼기근 기능상실로 엉덩관절 굴곡 변형	종아리 가쪽면, 발의 발바닥면을 제외하고 정상
엉치뼈	S1	엉덩관절 · 무릎관절근은 정상, 큰볼기근 · 장딴지근 · 가자미근의 약화, 발의 모음근 약화	다리감각 정상, 항문 주위는 무감각

※ 출처 : 전혜자 외(2015). 특수체육론. p.159에서 일부 수정 게재.

정답 01 : ①

필수문제

02 보기의 ㉠, ㉡, ㉢에 들어갈 용어로 바르게 묶인 것은?

보기

» (㉠)은 바이러스 감염에 의한 마비로써 척수의 운동 세포에 영향을 미쳐 뼈의 변형이나 보행에 문제를 일으킨다.

» (㉡)은 중추신경계 질환으로 몸의 여러 곳에 염증이 발생하여 근육이 굳어지며 전반적인 무력감을 일으킨다.

» (㉢)은 근육 퇴화를 유발하는 유전 질환으로 호흡장애와 심장질환 등의 합병증을 유발한다.

	㉠	㉡	㉢
①	회백수염 (poliomyelitis)	근이영양증 (muscular dystrophy)	다발성경화증 (multiple sclerosis)
②	회백수염 (poliomyelitis)	다발성경화증 (multiple sclerosis)	근이영양증 (muscular dystrophy)
③	근이영양증 (muscular dystrophy)	다발성경화증 (multiple sclerosis)	회백수염 (poliomyelitis)
④	다발성경화증 (multiple sclerosis)	근이영양증 (muscular dystrophy)	회백수염 (poliomyelitis)

■ **회백수염**(척수성 소아마비) : 폴리오(polio)바이러스에 의한 신경계통의 감염으로 발생함.
■ **다발성경화증** : 뇌·척수·시각신경 등의 중추신경계통에 발생하는 만성신경면역계 질환. 신체 여러 부위에 동시다발적으로 염증이 발생하여 근육이 굳어지며 전신무력감이 나타남.
■ **근이영양증**(근육디스트로피) : 골격근이 점차 변성·위축되어 퇴화되어가는 진행성·불치성·유전성 질환. 호흡장애와 심장질환 등의 합병증을 일으킴.

심화문제

03 지체장애의 유형별 특징으로 옳지 않은 것은?

① 회백수염(poliomyelitis)은 콜라겐 섬유 단백질의 결핍으로 뼈가 불완전하게 형성되어 쉽게 부서지는 유전성 질환이다.
② 다발성경화증(multiple sclerosis)은 몸의 여러 곳에 동시 다발적으로 염증이 발생하여 근육이 굳어지며 전반적인 무력감이 나타난다.
③ 근이영양증(muscular dystrophy)은 여러 근육군의 퇴화가 서서히 진행되는 유전성 질환으로 호흡장애와 심장질환 등의 합병증을 유발한다.
④ 절단장애(amputees)는 사지의 일부 혹은 전체가 상실된 상태로 선천성과 후천성으로 구분된다.

■ 척추의 회백질에 급성바이러스가 침입해서 생기는 질환이 회백척수염이다.

정답 02 : ②, 03 : ①

■ 환상통증은 사고나 수술로 신체의 일부를 잘라 낸 후에도 고통을 겪었던 부위가 계속적으로 아프고 쑤시는 증상임.
■ 절단 후 남아 있는 부위에서 근육경련이 일어난다.

04 절단장애인의 환상통증(phantom pain)에 대한 설명이 아닌 것은?

① 궤양과 같은 고통스러운 통증을 느낄 수 있다.
② 절단 후 남아 있는 부위에서는 근육 경련이 일어나지 않는다.
③ 절단된 부위가 아직 남아 있는 것처럼 생각하고 그 부위에서 통증을 느낀다.
④ 인공 의지(prosthesis)나 보조기를 착용해도 통증을 느낄 수 있다.

■ **자율신경 반사 이상** 대체적으로 제6흉수 이상의 척수손상장애인에게 나타나는 증상으로, 손상된 척수보다 아랫쪽의 유해자극에 대한 교감신경의 반응으로 나타난다. 주요 증상은 혈압상승, 얼굴 홍조, 두통, 심박수 저하, 땀분비 등이다. ②③④와 같이 하면 어느 정도 예방할 수 있다.

필수문제

05 척수손상 장애인의 자율신경 반사 이상(autonomic dysreflexia)에 관한 내용으로 옳지 않은 것은?

① 자율신경 반사 이상은 예방할 수 없다.
② 운동 전 방광과 장을 비움으로써 예방할 수 있다.
③ 자율신경 이상이 증가하면 운동을 중단한다.
④ 경추 6번 및 윗 부위의 손상 장애인에게서 발생 가능성이 높다.

필수문제

06 촉각적 추구성향을 보이는 발달장애인의 행동 특성이 아닌 것은?

① 부드럽고 편안한 촉각적 경험을 좋아한다.
② 손톱을 물어뜯거나 극단적으로 매운 음식을 찾는다.
③ 허리띠나 넥타이를 꽉 조여 맨다.
④ 등을 쓰다듬어 주는 촉각적 칭찬에 몸이 경직된다.

■ 등을 쓰다듬어 주면 몸이 이완된다.
■ **발달장애** : 신체 및 정신이 해당하는 나이에 맞게 발달하지 못한 상태

심화문제

07 다음 중 지체장애에 대한 설명으로 적절하지 않은 것은?

① 발달장애는 지체장애 범주에 포함되지 않는다.
② 지체장애는 관절장애, 척수손상, 절단장애 등을 포함한다.
③ 뇌병변장애인의 장애정도는 뇌의 손상 부위와 크게 관련이 없다.
④ 척수장애인의 장애정도는 척수 손상 위치에 따라 다르다.

■ 뇌병변장애인의 장애 정도는 뇌손상부위와 관련된다.

정답 04 : ②, 05 : ①, 06 : ④, 07 : ③

필수문제

08 척수장애인의 운동지도 지침이 아닌 것은?

① 자율신경 반사 이상의 위험을 줄이기 위해 운동 전에 장과 방광을 비우게 한다.
② 유산소성 운동 후 체온을 낮추어 주기 위해 시원한 압박붕대를 사용한다.
③ T6 이상에 손상을 입은 경우, 유산소성 훈련 효과를 극대화하기 위해 최대심박수를 150회/분까지 증가시킨다.
④ 심장으로 들어가는 혈액량의 감소로 인한 저혈압의 위험을 줄이기 위해 충분한 준비운동을 하게 하고 운동부하를 점진적으로 증가시킨다.

■ 흉추 6번(T6) 이상의 척수손상인은 혈압 상승, 심박수 감소 등이 일어날 수 있으므로 체온조절에 유의해야 한다.

심화문제

09 척수장애인의 체육활동 시 고려요인으로 옳지 않은 것은?

① 수영을 포함한 모든 활동에서 안전을 위해 브레이스를 착용하게 한다.
② 자세를 자주 바꾸고 수분 흡수가 가능한 의복을 착용하게 하여 욕창에 대처한다.
③ 너무 춥거나 더운 환경에서 운동을 하지 않도록 하여 온도변화에 대처한다.
④ 손가락 테이핑이나 보호용 커버를 사용(휠체어 사용자)하게 하여 물집에 대처한다.

■ 척수장애인이 운동하기에 가장 적합한 환경이 수중운동이다. 브레이스는 신체의 움직임을 지지해주는 장치이므로 격렬한 운동 시에는 도움이 되지만 수중활동에서는 도움이 되지 않는다.

10 휠체어 이용 척수장애인이 활용할 수 있는 심폐지구력 운동 장비로 적절하지 않은 것은?

① 핸드 사이클(handcycle)
② 벤치 프레스(bench press)
③ 암 에르고미터(arm ergometer)
④ 휠체어 트레드밀(wheelchair treadmill)

■ **핸드사이클** : 심폐지구력 향상
■ **벤치 프레스** : 중량을 들므로 근육 및 뼈에 무리가 되어 척수장애인에게는 좋지 않다.
■ **암 에르고미터** : 심폐지구력 향상
■ **휠체어 트레드밀** : 유산소능력 및 심폐지구력 향상

11 척수장애인에게 신체활동을 지도할 때의 고려할 사항으로 적절한 것은?

① 손상 부위가 같으면 체력 수준도 유사하므로 같은 프로그램을 제공한다.
② 체온 조절 능력이 상실되었으므로 온도와 습도를 고려하지 않는다.
③ 잔존 운동기능의 정도와 상관없이 재활과 치료중심의 활동에 참여하게 한다.
④ 손상 부위에 따라 적합한 운동기구를 활용하는지 점검한다.

■ 척수장애인(지체기능장애인)에게 신체활동을 지도할 때는 거의 대부분 용·기구나 규칙의 변형이 필요하다.

12 척수장애인의 산소소비량이 적은 이유는?

① 인대의 위축　　② 염색체의 기능 이상
③ 신경계의 기능 이상　　④ 적은 근육량

■ 척수장애인은 운동을 거의 할 수 없어서 근육량이 매우 적다.

정답　08 : ③, 09 : ①, 10 : ②, 11 : ④, 12 : ④

13 **보기의 지체장애인을 위한 스포츠 지도전략으로 옳은 것은?**

보기
민수는 교통사고에 의한 흉추 6번의 손상으로 병원에서 수술과 재활을 받고 척수손상에 의한 지체장애 판정을 받았다. 의사는 민수에게 스포츠 참여를 제안하였다.

① 사지를 사용할 수 없기 때문에 보치아에 참여시킨다.
② 상지를 사용할 수 있기 때문에 휠체어 스포츠에 참여시킨다.
③ 하지를 사용할 수 있기 때문에 축구의 규칙을 변형하여 참여시킨다.
④ 사지를 사용할 수 있기 때문에 본인의 희망 종목에 참여시킨다.

■ 흉추6번에 손상을 입었다면 하지는 사용하지 못하고 상지는 사용할 수 있다.

필수문제

14 **보기에서 설명하는 장애인스키 장비는?**

보기
» 절단 등의 장애 때문에 균형 유지가 어려운 장애인이 사용한다.
» 스키 폴(pole) 하단에 짧은 플레이트를 붙여서 만든 보조장치이다.

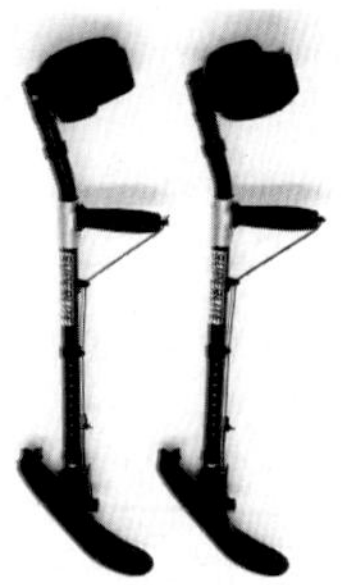

① 아웃리거(outriggers)
② 듀얼리거(dualriggers)
③ 바이리거(biriggers)
④ 인리거(inriggers)

■ 그림은 아웃리거(outriggers)인데, 이것은 방향전환과 균형유지를 위해 스키 폴과 아래팔의 목발이 결합된 폴에 스키 플레이트의 앞부분을 잘라내서 붙인 것이다(원래 아웃리거란 노의 지지점이 선체 밖에 붙어 있는 것을 말한다).

필수문제

15 **지체장애인에게 스포츠를 지도할 때 고려해야 할 사항으로 적절하지 않은 것은?**

① 기립성 저혈압(orthostatic hypotension) 증상이 발생할 때에는 몸을 앞으로 숙이거나 서 있도록 조치한다.
② 욕창 예방을 위해 30분 운동 후 1분 정도 휠체어 좌석에서 엉덩이를 들어올려 피부 압박을 줄여준다.
③ 척추측만증과 같은 자세 결함을 교정하기 위해 근력 운동이나 스트레칭 운동을 실시한다.
④ 제 6번 등뼈(흉추 : T6) 이상의 손상자는 자율신경반사부전증(autonomic dysreflexia) 발생 가능성이 높아 운동 전에 장과 방광, 혈압의 상태를 점검한다.

■ 기립성 저혈압은 일어서면 저혈압이 되어 현기증이 나는 증상인데, 이런 사람을 세워두면 되겠는가?

정답 13 : ②, 14 : ①, 15 : ①

심화문제

16 근지구력이 약한 지체장애인에게 휠체어농구를 지도하기 위한 전략으로 적합하지 않은 것은?

① 인터벌 트레이닝으로 근지구력을 향상시킨다.
② 휴식시간을 자주 준다.
③ 경기 시간의 단축을 위해 선수 교체를 하지 않는다.
④ 체력소모를 줄이기 위해 농구 코트의 크기를 작게 한다.

■ 선수 교체를 하지 않으면 계속해서 뛰라고!

17 하지절단 장애인의 운동 중 균형유지를 위한 방법으로 적절하지 않은 것은?

① 축구에서 클러치(clutch)를 사용하여 체중을 안정적으로 지탱한다.
② 스키에서 아웃리거(outriggers)를 사용한다.
③ 수영에서 의족을 착용한다.
④ 탁구에서 탁구대에 몸을 지지한다.

18 절단장애인에게 신체활동을 지도할 때 고려사항으로 적절하지 않은 것은?

① 자율신경계 반사부전증을 일으키는 요인을 인식하여 문제 발생을 예방한다.
② 염증이나 감염을 방지하기 위해 절단 부위를 관리한다.
③ 신체활동 강도에 따라 휴식 시간을 조절하여 피로 발생을 완화한다.
④ 운동역학적 효율성을 고려하여 무게중심의 변화에 적응하도록 한다.

■ 자율신경계 반사부전증은 제6흉수 이상의 척수손상을 받은 환자에서 유해한 자극을 받아 교감신경반응이 급격히 일어날 때 발생하는 증상

19 좌측 발목 절단장애인을 위한 스포츠 지도전략으로 틀린 것은?

① 상하지의 균형적 발달을 위한 활동을 하게 한다.
② 좌측 다리의 근육을 강화시켜 우측 다리와 균형을 이루도록 한다.
③ 보행 보조기구는 하지의 근력이 강해진 후에 사용하도록 한다.
④ 비만 예방을 위한 스포츠 프로그램에 규칙적으로 참여시킨다.

■ 보행 보조기구를 늦게 사용할수록 좌우 다리의 근력차이가 커진다.

20 다음 중 특수체육 지도의 효과적인 보조를 제공하기 위해 고려해야 할 내용으로 적절하지 않은 것은?

① 개인 및 장애특성에 대한 충분한 이해
② 보조보다는 활동과제에 집중하도록 유도
③ 가능한 최대한의 신체보조를 제공
④ 언어보조, 시각보조, 신체보조의 적절한 연계

■ 장애인스포츠 지도 시에 신체 보조를 너무 많이 하면 효과적인 지도가 되지 않는다.

정답 16 : ③, 17 : ③, 18 : ①, 19 : ③, 20 : ③

■ 휠체어마라톤은 심폐지구력과 관련된 스포츠종목이다.

21 순발력이 운동수행의 주요 요인이 아닌 스포츠 종목은?

① 휠체어농구　　② 휠체어마라톤
③ 휠체어럭비　　④ 휠체어테니스

필수문제

22 보기에서 기술하는 것과 장애유형이 바르게 연결된 것은?

보기
» (㉠) 운동기능에 손상이 있으나 손상이 진행적이지 않다.
» (㉡) 호흡기 근육군의 퇴화가 올 수 있다.

	㉠	㉡
①	뇌성마비	근이영양증
②	근이영양증	다발성경화증
③	다발성경화증	뇌성마비
④	뇌성마비	다발성경화증

■ **뇌성마비** : 세균에 의한 병이 아니고, 뇌의 일부분이 손상되어 수의적 운동기능에 장애를 일으킨다. 뇌의 손상은 더 이상 진행되지 않는다.
■ **근이영양증(근육디스트로피)** : 인체의 근육이 긴장되고 위축되어 호르몬이상과 대사장애가 나타나 근육의 약화 · 구축 · 변형 등을 일으키는 우성 유전병.
■ **다발성경화증** : 다발경화증. 뇌와 척수 전역에 걸쳐 신경부분의 말이집(미엘린, 수초)이 되풀이하여 산발적으로 파괴되는 병. 시각이상, 지각이상, 언어장애, 운동실조, 운동마비, 배설곤란, 현기증 등을 일으킴.

필수문제

23 뇌성마비의 유형별 특징으로 옳지 않은 것은?

① 경직성은 대뇌피질의 손상으로 근육의 저긴장 상태를 보인다.
② 운동실조성은 소뇌의 손상으로 균형과 협응에 어려움을 보인다.
③ 무정위운동성은 기저핵의 손상으로 불수의적인 움직임을 보인다.
④ 혼합형은 경직성과 무정위운동성이 혼재하며, 경직성 유형이 좀 더 두드러진다.

■ **경직성 뇌성마비** : 운동피질과 추체계의 손상으로 근육이 과다긴장되어 상하지 근육이 갑자기 강하게 수축하는 것. 편마비, 양하지마비, 사지마비로 구분됨.
■ **무정위운동성 뇌성마비** : 대뇌기저핵의 손상에 의해 사지가 불수의적으로 불규칙하게 움직이는 것. 곰지락 운동형.
■ **운동실조성 뇌성마비** : 소뇌의 손상에 의해 평형성과 협응력에 이상이 나타나는 것.
■ **혼합성 뇌성마비** : 경직성과 무정위운동성이 혼합되어 사지에 모두 침범하는 것.

정답　21 : ②, 22 : ①, 23 : ①

필수문제

24 다음 중 뇌병변장애에 속하지 않는 것은?

① 뇌종양　　② 뇌성마비
③ 뇌졸중　　④ 외상성뇌손상

■ 뇌종양은 병이지 장애가 아니다.

심화문제

25 신경운동학적 분류에 따른 뇌성마비의 유형에 해당하지 않은 것은?

① 경련성 뇌성마비(spastic cerebral palsy)
② 무정위운동성 뇌성마비(athetoid cerebral palsy)
③ 운동실조성 뇌성마비(ataxia cerebral palsy)
④ 근이영양성(근위축성) 뇌성마비(muscular dystrophy cerebral palsy)

■ 뇌성마비는 출생 시 또는 출생 후에 뇌의 기능이 마비되어서 생기는 여러 가지 질병이다. 근위축성 뇌성마비는 근육세포에 이상이 생긴 것이다.

26 뇌성마비의 분류기준과 예시를 바르게 연결한 것은?

① 운동기능적 분류 – 경직성, 무정위 운동성, 운동실조성
② 스포츠등급 분류 – 단마비, 편마비, 양측마비
③ 형태적 분류 – 대뇌피질성, 기저핵성, 소뇌성
④ 신경해부학적 분류 – CP1, CP2, CP3, CP4, CP5, CP6, CP7, CP8

■ 뇌성마비는 세균에 의한 병이 아니고, 뇌의 일부분이 손상되어 수의적 운동기능에 장애를 일으키는 신경근육계통의 결함이다. 경직성, 무정위형 운동성(꼼지락운동), 운동실조성이 나타난다.

필수문제

27 보기의 괄호 안에 들어갈 내용으로 옳은 것은?

보기
무정위형 뇌성마비(athetosis cerebral palsy)는 (㉠)의 손상으로 인해 발생하며, 사지의 (㉡) 움직임을 나타낸다.

	㉠	㉡
①	대뇌기저핵	수의적
②	대뇌기저핵	불수의적
③	전두엽 운동피질	수의적
④	전두엽 운동피질	불수의적

■ 무정위형 뇌성마비는 대뇌 중앙에 있는 대뇌기저핵의 손상으로 나타나며, 불수의적인 몸의 움직임(꼼지락운동)이 나타난다.

정답 24 : ①, 25 : ④, 26 : ①, 27 : ②

심화문제

28 뇌병변장애인에 대한 설명으로 옳지 않은 것은?

① 외상성뇌손상 장애인은 몸의 균형 및 협응에 문제를 보인다.
② 뇌성마비 장애인은 원시반사로 인해 효율적인 움직임이 어렵다.
③ 뇌병변장애인은 보행의 어려움과 과도한 근 긴장 때문에 수중운동을 피한다.
④ 뇌졸중 장애인은 감각 및 운동기능 손상, 시야 결손, 의사소통의 어려움이 있다.

■ 뇌병변장애인에게는 수중운동이 좋다.

필수문제

29 국제 뇌성마비 스포츠 레크리에이션 협회(Cerebral Palsy-International Sports and Recreation Association. CP-ISRA)의 등급 분류 체계에 관한 설명이 아닌 것은?

① 5등급은 다시 5-A와 5-B로 세분화된다.
② 뇌성마비뿐만 아니라 뇌병변 장애인을 포함하고 있다.
③ 1~4등급은 보행이 가능한 등급이며, 5~8등급은 휠체어로 이동하는 등급이다.
④ 경기의 승패가 손상이 아니라 노력의 정도에 의해 결정되도록 하는 것을 목적으로 한다.

■ CP-ISRA의 뇌성마비 장애인스포츠 등급

등급		설 명
1	사지마비-중증, 심각한 무정위	전동휠체어나 이동보조장치에 의존
2	사지마비-중증에서 중간정도	몸통과 팔다리의 힘이 약하지만, 휠체어 추진 가능
3	사지마비-중증 편마비	혼자서 휠체어 추진 가능
4	양측마비-중간정도에서 중증	보조장비 없이는 장거리 이동 불가능 스포츠를 하려면 휠체어가 필요.
5	양측마비-중간정도	걸을 때는 보조장비가 필요할 수도 있지만, 서 있거나 던질 때는 필요 없음.
6	느린 비틀림 운동(athetoid), 실조증-중간정도	보조장비 없이 걷기 가능, 5등급보다 상체움직임 조절에는 문제가 있지만, 하지 기능(특히 달리기)은 더 좋음.
7	편마비	보조장비 없이 걸을 수 있지만, 종종 하지경련으로 파행.
8	달릴 때는 거의 정상에 가까워 보임	경기를 할 때와 트레이닝을 할 때 기능적 제한이 있음.

정답 28 : ③, 29 : ③